話し方が上手くなる!
声まで良くなる!
1日1分朗読

魚住りえ

東洋経済新報社

はじめに　たった1日1分の朗読で、話し方が上手くなる！　声まで良くなる！

★朗読には「絶大な効果」がある

ようこそ、「朗読」の世界へ！

朗読ってすばらしいんです！

なぜなら**「朗読」は、性別や世代を問わず、すべての人にとって、はかりしれない恩恵をもたらしてくれる**からです。

私は、フリーアナウンサーのほかに、スピーチレッスンの講師、ラジオ番組のパーソナリティー、ナレーションなどの仕事をしているため、毎日ボイストレーニングをしています。

トレーニングはさまざまなものがありますが、とくに**毎日の日課として欠かさず行っているトレーニングが、「朗読」**です。

自分のために行っているトレーニングなのですが、朗読のありがたみを実感するほど、「このすばらしさを私だけが独り占めするのは、本当にもったいない！」という思いがどんどん強くなってきたのです。

もともと、私にとって「朗読」は朝の歯磨きや午後のお茶の時間と同じように、毎日行う「生活の一部」のようなものです。

それは仕事のため、自分のスキルアップのために行ってきたことですが、毎日行っているうちに、**その「絶大な効果」に気づいた**のです。

★「朗読の効果」はこんなにある！

ざっと挙げただけでも、これほどあります。

まず、

・話し上手になる
・言葉がスラスラ出てくる
・声が良くなる

そして、

・語彙が激増する
・表現力がつく
・文章力がつく
・知識が増える

外見も、次のように変わります。

・表情が豊かになる
・顔がリフトアップされ、見た目が若返る
・笑顔に磨きがかかる

さらに、健康にもプラスの効果が期待できます。

- **頭が冴《さ》える**
- **認知症の予防になる**
- **腹式呼吸によるダイエット効果がある**

そしてなにより、毎日の生活が楽しくなります。

- **元気が出る**
- **「伝える力」が身につき、コミュニケーション力が上がる**
- **友達が増える**

「朗読ひとつでこんなに？」と思うかもしれませんが、**朗読は本当にすばらしい可能性を秘めている**のです！

★ 1日1分の朗読で、「相手の心を動かす話し方」ができて、声まで良くなる！

これらの朗読の効果の中でも、私がとくに強調したいことが2つあります。

ひとつめは**「相手の心を動かす話し方」**ができるようになること。

日常会話でも人前で話す場合も、**「相手に伝わりやすい話し方」**や**「心に響く話し方」**ができるようになるのです。

「相手の心を動かす話し方」というと、一生懸命話すとか、感情をあふれさせるなど、なんとなく心情的なものをイメージされるかもしれませんが、そうではありません。

聞き手を笑顔にさせたり、落涙させたり、感動させるためには、話の内容はもちろんですが、「伝え方の技術」が必要なのです。

それを身につけるのはなかなか大変なことですが、魚住メソッドなら、なんと「1日1分の朗読」で、自然と「相手に伝わりやすい話し方」「心に響く話し方」が身についていくのです。

成功者の共通点のひとつが「話し方がうまいこと」であるなら、朗読をするだけで、あなたも「人生を成功に導く武器」を手に入れることができるのです。

そして2つめは、**「声が良くなる」**ということ。

というのも、自分の声にコンプレックスをもっている人はすごく多いのです。

私の著書『たった1日で声まで良くなる話し方の教科書』（東洋経済新報社）では、「声まで良くなる」の部分に反応してくださった方がとても多くいました。

詳しくは本文で述べますが、これも「1日1分の朗読」で、誰でも必ず「いい声」になるのです。

この2つの重要なメリットは、ビジネスにおいても人間関係においても「最強の武器」、そして「一生ものの宝」となるものだと私は思います。

★ 朗読と音読は別もの
――「音読＝独り言」「朗読＝相手に向かうもの」

書店に行くと「朗読の本」「音読の本」が一緒に並んでいます。

「朗読」は「音読」と混同されることが多いのですが、**じつは「朗読」と「音読」に**

は明確な違いがあります。

「音読」は、シンプルに「文章を声に出す」ということです。

たとえて言うなら、「独り言」です。この場合の**「音読」のベクトルは自分に向いています**。

これに対して**「朗読」は、人に伝えるもの**。朗読になってはじめて、伝えたい相手、聞き手である「他者」が生まれます。

つまり、**朗読のベクトルは、相手に向かう**ものなのです。

相手に正確にわかりやすく、心に響くように「伝える」のが朗読。これに対して音読は、ただ文字を声に出して読むことです。

要は、**意識の向かう対象がまったく異なっている**わけです。

音読の段階では、聞き手はおらず、聞き手に伝えるために抑揚をつける必要はありません。

つまり、**音読は、朗読にいたるまでの「過程」のひとつである**ともいえます。

そして、本書でこれから詳しく説明していきますが、**「話し方」を劇的に上達させるのは、音読の先にある「朗読」**だと、私は自身の経験から確信しています。

★ いわゆる「音読本」と本書の違い

その意味では、**本書は「音読」の本とは、まったく違う**ものです。

本書では、読んで相手に聞かせることで、時には相手の感情に訴え、感動を呼び起こす「朗読」の手法をお伝えします。

もちろん「音読」がダメという話ではありません。魚住式では、朗読を学ぶ過程で音読も入ってきます。

音読も楽しいものだし、メリットもあります。ただ、**音読のメリットは、朗読の効果の中に集約される**もののように思います。

先に挙げた朗読の効果の中には、音読による効果も含まれています。

「ただたんに自分だけで『音読』するのではなく、世界を広げて相手に届ける『朗読』をしませんか？」というのが私の提案なのです。

朗読のテクニックが身につけば、公の場で発表したり、仲間と朗読会を開くなどの交流をもつこともできます。

朗読をしていると、自然と仲間も増えていきますよ！

★「1日1分」で人生がガラリと変わる「魚住式メソッド」！

もうひとつ、本書が他書と決定的に違う点があります。

朗読の本というと、例文を多数掲載して、読み方は各自お好きに……というものが多く見受けられます。

でも、本書はそうではなく、「メソッド」をメインとしているのです。

つまり声の出し方、読み方、抑揚のつけ方、上達のコツからウラワザまで、すべてを「方法論」として集約し、お伝えするものです。**朗読にはやり方、コツがある**のです。

これこそが私が**30年を超える経験から編み出した「魚住式メソッド」**です。

このメソッドで行えば、**誰でも簡単に驚くほど上手な朗読ができる**はずです！

さらには本書で紹介している朗読用の例文は、YouTubeの「魚住りえ 話し方&聞く力のコミュニケーション講座」で、**私自身が朗読したものを、無料で聞くことができます**。参考にしていただければうれしいです。

「興味はあるけれど、時間がかかるのでは？」

とご心配の方もいるかもしれません。でも大丈夫、**なんと魚住式朗読は「1日1分」でいい**のです！

本書で紹介する朗読の練習文は、基本的におよそすべて「1分以内」で読み終えることができるものばかりを選んでいます。

だから忙しいビジネスパーソンの方でも気軽に取り組んでいただけます。

「たった1分？」と思われるかもしれませんが、**毎日1分続けるだけで、本当にガラリと変わります**。声が良くなったり、言葉がスラスラ出てきたり、語彙力が豊富になったり、プレゼンが得意になったり、デートでの会話がうまくいったり……人によって効果はいろいろだと思いますが、必ず何かしらは朗読の効果が実感できるはずです！

みなさん、どうか私にだまされたと思って、1日1分を続けてみてください。おそらく「1週間」程度でその効果がおわかりいただけると思います。

朗読は、人生に彩りを添えるようなものだと思っています。

「1日1分朗読」、それは大げさかもしれないけれど、あなたの人生を大きく変えるチャレンジとなるはずです！

それでは、魚住りえの「朗読ワールド」をご堪能ください！

〔目次〕

話し方が上手くなる！声まで良くなる！1日1分朗読

BOOK

こんにちは

ン～
オ～
ア～

ありがとうございました。

Keep!

口をしっかり
閉じる

MILK
WATER

BOOK

えほん

えほん

第1章

数え切れないほど、効果絶大！「朗読の15のメリット」を一挙公開！

★ ただ楽しいだけじゃない！ 数え切れないほどの朗読のメリット

まずはみなさんに、「朗読は楽しそう」「朗読をすると、こんなにいいことがあるんだ」ということを知っていただくために、この章では具体的に「朗読のメリット」をまず紹介していきたいと思います！

朗読の絶大な効果 1 頭が冴えて言葉がスラスラ出てくる

「言葉がスラスラ出てこない」という経験がありませんか？

大事な場面になると言いよどんでしまったり、うまく説明しようとすればするほど、適切な言葉が出てこなかったり……。

じつは私もそうでした。

私自身、アナウンサーをしながらも、最初からスラスラ話ができたわけではありません。自分のことを「口下手だな」と思ったことが何度もあります。

それがあるときから、不思議なことに、**ナレーションの仕事をしたあとは、頭がシャキッと冴えて、言葉がスラスラ出てくる**ことに気づいたのです。

りえの㊙エピソード

私はアナウンスメント技術の習得を始めてから30年ほど経ちますが、「朗読の効果」に気がついたのは、日本テレビに入社して2年目あたりでした。

当時は生放送の情報番組で、お天気コーナーの中継を担当していました。

あるときから、カメラの前に立つと緊張のあまり頭が真っ白になり、言葉が出てこなくなってしまったのです。

生放送なので、あわや「放送事故」になりかけたこともあり、「また失敗したらどうしよう」というマイナスな気持ちが拍車をかけ、ますます失敗を重ねていきました。

すっかり自信を失ってしまっていたのですが、そんなときにナレーションのレギュラー番組の依頼が入りました。

1回のナレーション作業時間は2時間ほど。

ナレーション原稿に目を通し、内容をしっかり理解し、そしてマイクに向かい、ぶっ通しで朗読しなくてはいけなくなったのです。

そのときは、とにかく「テレビの前で私の朗読を聞く人が、感動し、心に残るものにしたい」という一心でのぞみましたが、番組が始まって1カ月も経たないうちに、生放送中でもスラスラとカメラの前で話せている自分に気がついたのです。

「あれ？　自然に言葉が洪水のように出てくる。なぜ？」

と不思議に思いましたが、ナレーションの仕事をした翌日が、いちばん調子がよく緊張もせずに話せるのです。

そのとき、はっきり、「朗読の効果」に気がつきました。

最初のうちは「慣れ」の問題かなと思っていましたが、ナレーションの仕事をしたあとは、**言葉が次々とあふれ出す**のです。

現在私は、YouTubeで「魚住りえ 話し方&聞く力のコミュニケーション講座」という講座を開講していますが、これを撮り終えたあとは、やっぱり言葉がどんどんあふれ出すのを実感します。

私に限らず、「言葉がスラスラ出てこない」という悩みをもっている人は大勢いるかと思います。

それが、**「朗読」の練習を重ねることで、頭で考えたことが即、言葉になっていく**のです。相手の話にもすぐ反応することができて、いってみれば**「言葉の反射神経」がよくなる**のです。

朗読の絶大な効果 2 「語彙」が増える

大人になってつくづく感じるのは、**語彙の大切さ**です。

話すにしても書くにしても、語彙が不足していると表現に限界が来てしまいます。

逆に、語彙が豊富だと、表現力が倍増しますよね。

たとえば、「うれしい」気持ちを表す場合。

「心躍る」「わくわくする」「うきうきする」「喜ばしい」「心嬉しい」「欣《きん》喜《き》雀《じゃく》躍《やく》」「狂《きょう》喜《き》乱《らん》舞《ぶ》」「随《ずい》喜《き》」「歓喜」……。

と、いろいろな言葉を使うことで、伝わり方はまったく違うものになります。

ところが語彙は、そうそう簡単に身につくものではありません。

本や雑誌を読んで、

「これは知らなかった言葉だな」

「この言葉は覚えておいて今度使おう」

と思っても、そのままではすぐに忘れてしまい、「使える語彙」には、なかなかならないものです（私だけかもしれませんが……）。

でも、**「言葉を声に出す」ことで、目と耳の両方からインプットすることができ、段違いに記憶に残りやすくなり、語彙を増やす**ことにつながります。

さらに魚住式メソッドでは、**「抑揚」**をつけます（詳しくは、第3章の108ページなどで解説します）。

この「抑揚」の効果がまたすばらしく、**記憶と語彙の定着を促してくれる**のです。

3 「文章力・論理力」がつく

のちに述べるように、魚住式メソッドでは、最初に文章をチェックして、全体の流れをつかみ、どの言葉を強調するべきか考える作業を行います。

朗読をスムーズに行うために欠かせない作業ですが、これをすることで**「文章力が身につく」というすごい効果もある**のです。

私は文章の専門家ではありませんが、何冊か書籍を出版して実感したことは、**文章力は「全体の流れ」「構成」で決まる部分が大きい**ということです。

文章力というと、言葉の選び方や表現方法など、一つひとつの文章が上手に書けることだと思われるかもしれません。

もちろんそれも大切ですが、それより構成や流れといった「全体像」が最も重要だということを、書籍をつくる過程で学びました。

その**構成力をつかむのに、「朗読」が強力な力を発揮します**。

朗読で使う文章は作家やプロの書いた名文ですから、**全体を意識して読み込むだけで、知らず知らずのうちに構成や流れがつかめます**。

その結果、文章力がぐんとアップするのです。

文章力がつくと、企画書やレジュメ、PR文がスラスラ書けるなど、仕事においても大きな強みになるはずです。

朗読の絶大な効果 4 「滑舌」が良くなる

「滑舌が悪い」ことで悩んでいる人は、じつは結構多いものです。

芸人さんやタレントさんの中には、滑舌が悪いことを逆手にとって「芸」にしている人もいますが……。

でも、日常生活では滑舌が悪いと、聞き返されたり、言いたいことがきちんと伝わらなかったりと、不便なことばかりです。また、営業マンや接客業の人は、滑舌が悪いと、仕事に悪影響が出ることも考えられます。

ところが「滑舌を良くしよう」といわれても、そのやり方がわかりませんよね。

ここにも朗読が活きてきます。

朗読を日常的に行っていると、**いやでも舌の動きを意識するし、また口のまわりの筋**

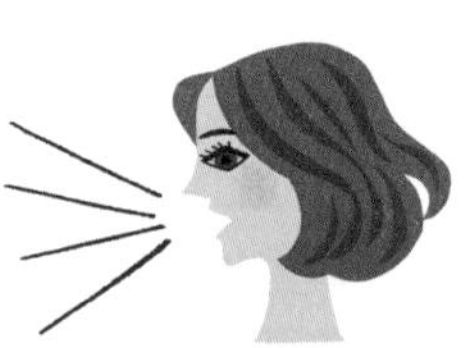

肉がほぐれるから、自然と滑舌が良くなってくる**のです。

66ページでは「魚住式滑舌トレーニング」も紹介するので、こちらを集中的にレッスンしていただいても結構です。

滑舌が良くなると、第一印象もぐんとアップしますよ。

朗読の絶大な効果

5 「いい声」になる

「自分の声が嫌い」という人は、すごく多いですよね。

安心してください、じつは私も同じです。

いまでも、録音された自分の声を聞くのは大の苦手なのです。

でも、昔はもっとひどかったのです。

高校時代、放送部に入部して、はじめて自分の声を録音して聞いたときのショックは、いまでも忘れません。

想像より、はるかに低くてガサガサした声……。
当時すでに声優やアナウンサーやラジオのＤＪなど、「声を使う仕事をしたい」という夢をもっていましたが、「こんな声では、アナウンサーになれるわけがない……」と打ちのめされました。

しかしその後、練習を重ねてわかったのは、**練習次第で、誰でも「いい声」を出すことができる**ということ。

声はいわば、ダイヤモンドの原石のようなものです。

誰でも磨けば、必ず「いい声」を出すことができます。

みなさんは**「いい声の出し方」を知らないだけ**なのです。それも当然で、声の出し方はどこでも習わないし、教えてくれる人もあまりいないからです。

魚住式メソッドで「声の出し方」を覚えて朗読を続けることで、誰でも必ず「いい声」になっていきます。

また、「声がれ」で悩む人はじつはすごく多いのですが、これがなくなります。

「会議で2時間しゃべったら声が出なくなった」とか、「カラオケでたくさん歌ったら

声がガラガラになってしまった」とか、みなさん経験ありませんか？　これはいい声の出し方をしていないからです。**「正しい声」「いい声」を出せば、声がれがなくなります。**

またたくさんしゃべっても疲れなくなります。話すのって意外と重労働なんですね。

「プレゼンで2時間しゃべってヘトヘト……」という話をよく聞きますが、いい声でしゃべれば疲れは激減します。これは大きなことだと思います。

朗読の絶大な効果 6　「伝える力」が劇的に高まる

魚住式朗読は、ただ文章を読み上げるわけではありません。

「相手に何を伝えたいのか」ということを最初に考察し、伝えるためのテクニックを使って読み上げます。

これを重ねていくと、「伝える力」が飛躍的にアップするのです。

「伝える力」とは、自分の言いたいことを的確に、わかりやすく相手に伝えるスキルです。

この力がつくと、スピーチ、セールストーク、電話などが格段にうまくなります。

よく「話は長いが、何を言っているかよくわからない社長さんのスピーチ」とか「熱弁しているのはわかるが、その製品のどこがいいのか、さっぱり伝わってこない営業トーク」などを耳にします。

あれは失礼ながら、「伝える力」がないから、そうなってしまうのです。

自分の言いたいことは何か、スパッと伝えるためには「スキル」が必要です。

どんなときにどんな声の高さで話せばいいのか、声量の大小やスピード、間のとり方、気持ちや思いを込めるなどの、抑揚のつけ方のテクニックが必要なのです。

朗読の絶大な効果 7 「不要な言葉」が減り、「伝える力」がアップする

話すとき、文頭に「え～」「あの～」がついてしまう人が、よくいますよね。

しかし、これを連発してしまうと、とても耳障りで、話が聞き取りづらくなる「大きな要因」のひとつになってしまいます。

このクセ、じつは一度ついてしまうと、なかなかとるのが大変ですが、**朗読を続けると、「え～」「あの～」など、文頭の「不要な言葉」が出てこなくなります**。

また「○○なので……」「○○ですけれども……」「○○が……」でつないで、延々と文章が終わらない人も多いものです。

しまいには、話している自分が「あれ？　結局、何を言いたかったんだっけ？」となってしまったりします。

もちろん聞き手は「で、この人、何言いたいの？」と頭の中で「？」マークです。

一文が長いと自分も聞き手も「話の終着点」がわからず、迷子のような状態に陥ってしまうのです。

それが**朗読をすることで矯正され、自然と「一文」が短くなります**。朗読では、ダラダラした長い文章は使わないからです。

不要な言葉が出なくなることで、「伝える力」が格段にアップします。

その意味でも、「いい見本」を読むことが大切です。

おすすめの朗読用の文章は、第5〜6章の「朗読の実践編」で紹介します。

朗読の絶大な効果 8

コミュニケーション上手になる

魚住式朗読をマスターすることで、「話し方」が段違いに上達し、その結果として、対人関係もよくなります。

まず話し方ですが、魚住式朗読では、状況や人数に応じて、声の高低、声量の大小、話すスピードを変えるテクニックを学びます。これこそが話し方の基礎・基本となるものです。

話題の豊富さや語り口なども話し方のうちですが、こうしたことはすべて基本ができていなければ積み上がりません。

この**「話し方」は社会人としての基本スキル**と言っていいほど重要なものだと思いますが、なぜか学校でも会社でも、どこでも教えてくれません。**誰もが自己流で話しているだけ**です。

だからこそ、**話し方は少しでも学べば、誰でも驚くほど上手になります**。

これができると、その場の空気を読んで話ができるようになりますから、印象がいっきにアップします。

またこの話し方は、その場の雰囲気を変えたいとき、さりげなく話を切り上げたいときなどにも使えるので、仕事でも日常生活でも、とても使えるテクニックとなります。

朗読の絶大な効果 9 自然に「好感度」もアップし、「早口」も直る

朗読を行っていると、知らず知らずのうちに、「言葉」を大切に扱うようになります。

たとえば「ありがとうございました。」という言葉。

これを「ありがたい」という気持ちも込めて、

「あ・り・が・と・う・ご・ざ・い・ま・し・た。」

を一音も飛ばさずに（句点「。」まで意識して）発音すれば、心からの感謝の気持ちが相手に伝わります。

「あーざいましたぁっ」

と仕事場を立ち去る人と比べたら、**印象の違いは一目瞭然**ですよね。

「言霊《ことだま》」といって、言葉を声にして発音すると、その言葉に魂が宿るといわれていますが、そのぐらい**発音は重要**なのです。

「言葉の大切さ」を知り、相手にとって「大切な言葉」を丁寧に発音する。

これができたら誰にも好感がもたれるし、結果としてまわりから大切にされる人になれるはずです。

また、「早口」の人も言葉を大切にできていない印象を与えてしまいます。

「早口で何を話しているかわからない」といわれる人は、意外と多いものです。

早口の人は頭のいい人に多いのですが、話し方としてはやはりほめられたことではありません。相手に聞き返されたり、言っていることが伝わらなかったりして、仕事でもプライベートでも損をしてしまいます。

でも**朗読で、「早口」も解決する**のです。

コツとしては話すときに「朗読」を行うときの話し方を意識することです。

頭の中で文字をひらがなに直し、ひらがなを一音一音丁寧に、大切に発音するように心がけるのです。

丁寧に発音しようと意識していくことで、自然と発音のスピードが落ちていきます。

その結果、ゆっくり落ち着いて話せるようになり、自然と「早口」が直っていくものなのです。

朗読の絶大な効果 10
やせる！「ダイエット効果」も期待できる

魚住式朗読では、声の出し方、呼吸法も大切な要素として、しっかりトレーニングします。

呼吸法で大切なのは、「腹式呼吸」です。

「朗読に腹式呼吸が必要なの？」と思われるかもしれませんが、逆に**腹式呼吸でないと、長い文章を、基本的には声量を保ちつつ抑揚をつけて読むのは難しい**ものです。

ですから、みなさんにはぜひ**朗読を通して、腹式呼吸を身につけてほしい**と思うのです。

りえの耳寄りコラム ▼ 腹式呼吸はダイエットにも最適！

ちなみに、この腹式呼吸、じつはすごい「健康増進効果」があるのです！

まず腹式呼吸をすると、腹筋を使います。

腹筋の中でも腹横筋（お腹まわりを腹巻のようにぐるっと取り囲んでいる筋肉）を鍛えることになるので、出っ腹になりにくいのです。

年齢を重ねるほど、お腹まわりは気になるものですよね。

男性は太っていなくてもお腹だけぽっこり出てきたり、女性はくびれがなくなってきたり……。

でも腹式呼吸を実行していると、とくに何もしなくても、お腹まわりがスッキリして、体型も若さをキープできるのです。

また、腹式呼吸はお腹まわりだけでなく、全身のダイエット効果もしっかり期待できます。

腹式呼吸でお腹から声を出して読みつづけるのは、腹筋運動を続けているのと

同じなので、たくさん汗をかきます。代謝もアップするので、かなりの運動量になります。

私はこれを「朗読エクササイズ」と呼んでいます。


この「朗読エクササイズ」は、「運動が苦手」「体のあちこちが痛くて運動がなかなかできない」という人もできるのが、いいところです。

できれば、朗読は「立って行う」ほうが全身運動になります。

朗読を始めたい人は、座らずに「立って」、体ごと声を出すことをおすすめします。

そのほうがより聞き手に伝わりますし、体中の血の巡りもよくなります。

私の場合、起きている間ずっと腹式呼吸で話すわけではなく、仕事になると自然と腹式呼吸にスイッチが入ります。
すると、とにかく汗をかいて、全身の血の巡りがよくなる気がします。講演などで90分間話すと、1キロ近く体重が落ちています。

また、私はスピーチレッスンのクラスを主宰していますが、ここで集中的に腹式呼吸を教えると、その週は激やせしてしまうぐらいです。

ちなみに『朗読ダイエット』（ドリアン助川著、左右社）という本によれば、朗読を始めて1年で40キロやせた人もいるそうですよ！

朗読の絶大な効果 11 「ストレス解消」にもなる（マインドフルネス朗読）

仕事のプレッシャーや人間関係のいざこざなど、何かとストレスが多い現代人……。

ところが朗読にはすばらしい**ストレス解消効果、リラクゼーション効果がある**のです。

先ほど述べた腹式呼吸ですが、じつはこの**腹式呼吸をすると、自律神経が整う**ことがわかっています。

自律神経には交感神経と副交感神経がありますが、活動したり興奮したときは交感神経が働き、リラックス、休息するときは副交感神経が働きます。

腹式呼吸は、この副交感神経の働きを高めてくれるのです。

すると、心も体もリラックスできて、緊張がほぐれます。

また朗読では「声」を出しますが、この声を出すこと自体、ストレス発散になります。

「朗読をすると、頭の中がスッキリする」という感想をもつ人が多いのですが、それも当然なのです。

またこれは私の感想ですが、**朗読で他人の世界観を味わう作業に集中するうち、「自我」から離れ、雑念が消える**ような気がします。

その意味では、朗読は瞑想に近いものがあります。

ストレスを解消し、集中力を高める「マインドフルネス瞑想」がはやりましたが、さしずめ**「マインドフルネス朗読」**といったところでしょうか。

普段、緊張しやすい人、イライラしやすい人、興奮しやすい人、カッとなりやすい人、神経質な人、まわりを気にして落ち込みやすい人ほど、「朗読」を試してみてください。

その効果は続けるうちに、きっと実感していただけるはずです。

12 「小顔効果」があり、表情が生き生きする

これは私自身が自信をもってお伝えできますが、**日々、朗読をすることで、フェイスラインが引き締まって、「小顔効果」が得られます**。

私の場合、1日中パソコン仕事をしていて、あまり話すことがない日は、お饅頭のように顔がパンパンにむくんでしまいます。

そういう日が何日か続くと、次第に頬が垂れていき、ほうれい線も深くなってきます。

恐ろしいもので、**「表情筋」は使わないと、てきめんに衰える**のですね。

しかし、ナレーションや講演会、取材や打ち合わせでたくさん話す日が続くと、自然とむくみがとれ、フェイスラインがスッキリ。顔の大きさが、ひと回り小さくなります。

話し方のレッスンをしていると顔が引き締まるというのは、私のスピーチレッスンの生徒さんもよくおっしゃることです。

実際、みなさん続けるうちに、どんどん小顔になっていきます。

「表情筋」を鍛えるメリットは「小顔効果」だけではありません。

表情も自然と生き生きしてきます。

「日本人は表情が乏しい」といわれることがありますよね。

「能面のような顔」というように、あまりに表情が乏しいと「何を考えているかわからない人」と思われかねません。**表情が乏しいのは、日ごろ「表情筋」をあまり使っていないことも原因のひとつ**だと思います。

「表情筋」を日ごろから鍛えておくことは、自然な笑顔、生き生きとした表情のためにも、とても重要なことです。

運動も事前にストレッチなどでウォーミングアップをしてから行ったほうが、パフォーマンスがアップしますよね。あるいは、普段から軽くでも体を動かしていれば、急にスポーツをするより、はるかにラクに運動ができるものです。

表情もそれと同じ。**普段から「エクササイズ」をしておく**ことがとても大事なのです。

朗読の絶大な効果 13

「認知症予防効果」も期待できる

朗読には次の2つの理由から、認知症を予防する効果も考えられます。

「認知症予防効果」が期待できる理由❶

脳が「活性化」する

「アレとアレをもってきて」

「ほら、あの人よ、あの人。あー、名前なんて言ったっけ？」

「あのお店に行きましょうよ。なんて言ったっけ、あの店！」

年齢とともに、こんな会話が増えてきませんか？

人やものの名前が出てこなくて、「あれ」とか「それ」といった指示代名詞を多用してしまいがちになります（もちろん私も実感しています）。

「ものの名前が出てこないのはボケのはじまり」といわれますが、脳の機能が衰えてくると、言葉がなかなかスムーズに出てこないのですね。

しかし、**朗読によって、認知症を予防する効果も期待できる**のです。

まず音に出して文章を読むだけでも、脳が活性化するそうです。

とくに「前頭前野」という、判断力や思考力、感情をコントロールする機能をもつ部分が、活発になります。

この前頭前野を刺激することで、認知症の予防も期待できると思われます。

「認知症予防効果」が期待できる理由❷

人との「つながり」が増える

さらに**認知症の予防にとても重要とされるのが、人との触れ合い**です。

すでに述べたとおり、朗読は音読と違い、「他者」を意識して行う音声作業です。

朗読を続けていると、誰かに聴いてほしくなります。

家族や友達に聴いてもらってもいいですし、最近はやりの「朗読サークル」に参加するのも、とてもおすすめです。

聴き手がいることによって、聴いてくれる人を飽きさせず気持ちを思いやることにつながるので、**コミュニケーション力もアップ**します。

それを考えると、**独り言である「音読」より、他人を意識する「朗読」のほうが、より認知症予防につながる**はずです。

また聴き手によりよく伝わるように音声表現をすることで、朗読スキルも格段にアップします。

認知症が気になる年代の人は、とくに「朗読仲間」をつくって、楽しく活動してほしいと思います。

朗読の絶大な効果

14 舌が鍛えられて、「老化防止」につながる

朗読は舌を鍛えることにもなります。

舌を鍛えることは、「老化防止」にとても重要なこと。

じつは、年齢を重ねるにつれ、舌の筋肉は衰えてきます。

舌の筋肉が衰えると、当然、滑舌が悪くなるのですが、それだけでなく、飲み込む機能（嚥《えん》下《げ》機能）の衰えにもつながります。

食べ物や飲み物が、食道ではなく気管に流れ込み、肺に細菌が入り込む「誤《ご》嚥《えん》性肺炎」を起こす可能性が高まります。最悪の場合、死に至るそうです。

朗読で**舌を鍛えることで、「老化防止」や老化に伴う病気の予防**にもつながっていきます。

朗読の絶大な効果

15 「賢い子ども」に育つ

詳しくは「特別付録」（２１８ページ）で述べますが、お母さん、お父さんは、お子さんに本の読み聞かせをしてあげるのはもちろん、ぜひ**お子さんにも朗読のやり方を教えて、朗読をさせてあげてください**。

魚住式メソッドでは、どのように読むかを事前に考え、伝えなければならない言葉と文章を探してマークするなど、作者の意図を深く読み取る作業をします。

これを行うと、**驚くほど深い考察力が身につき、国語力も飛躍的に伸びます**。

りえの耳寄りコラム▼「聞き手」を意識すると、成長が早くなる？

これは私見ですが、朗読の訓練をすると、幼いころから「他人を意識し」「精神的に早く成長できる」のではないかと思うのです。

幼くして成功を手に入れる少年少女たち（フィギュアスケーター、オリンピック選手、ピアニスト、バイオリニストなど）は、常に自分だけではなく「聞き手や観客、審判」を意識した演技・演奏・試合を行うので、みんな早熟です。

子どもながらにまわりがよく見えているので、インタビューの受け答え、話し方が、大人顔負けなぐらいしっかりしています。

演技や演奏は、「自己満足、ひとりよがり」では、点数がつきません。

相手に伝えるために、感動してもらうために自分をコントロールする必要があります。それは朗読とまったく同じことです。

朗読をして育つ子は、賢く、豊かな感受性や人間性をもった子に育つと私は思うのです。

★ 何はともあれ、朗読はやってみると、とにかく楽しい！

朗読のすばらしさ、メリットを挙げていたら15項目にもなってしまいました。

自分でもビックリです。**朗読のすばらしさを伝えようとすると、本当にもう止まらなくなってしまう**のです！

そして、いままで述べたこと以上に、私が強調したいことがあります。

それは**「朗読は楽しい！」**ということ。

「朗読」にはあまり華やかなイメージはないかもしれませんが、実際やってみると、その楽しさに驚かれるはずです。

かみしめるほどに味わいが深くなる伝統料理のように、朗読の世界に触れれば触れるほど、その魅力がわかってきます。

実際、朗読に夢中になる人はすごく多いし、各地で「朗読サークル」が大流行なのもよくわかります。

「朗読サークル」と一口に言いますが、古今東西の名作を読むだけでなく、朗読劇があったり、子どもたちのための読み聞かせがあったり、高齢者や視覚障害の方のための朗読など、活動は多岐にわたります。

その意味では、**「朗読」というスキルがあれば、人を楽しませたり、社会貢献をしたりすることもできる**のです。

私も、「魚住式スピーチメソッド」の講師業だけではなく、今後は朗読の指導やセミナーにも力を入れていきたいと思っています。

それでは、次の章からは、声も話し方もみるみる良くなる「魚住式朗読メソッド」を、具体的に学んでいきましょう！

第2章

たったこれだけで声がぐんぐん良くなる！「朗読のベースとなる声の整え方」をとことんやさしく解説

★ 朗読には準備（ウォーミングアップ）が必要です！

「はじめに」で、「朗読と音読はまったく違う」と述べました。

朗読は、ただたんに文章を音に出して読む「音読」ではなく、相手に伝え、相手の心に響くことを目的とします。

「では、心を込めて読めばいいのですか？」と聞かれることもあります。

もちろん**心を込めて読むことは大事ですが、それだけでは相手には伝わらない**のです。ひとりよがりになってしまう可能性もありますし、人による読み方のクセがどうしても出てしまうからです。

相手の心に響かせるには、「技術」が必要です。

その技術とは何かというと**「音声表現」**、つまり**「腹式呼吸による発声」「声の使い分け」「呼吸法」**などを指します。

この練習は、朗読のための準備（ウォーミングアップ）です。

この章では、このウォーミングアップを集中的に学んでいただきます。

「朗読をする気満々だったのに、準備が必要なのか……」とがっかりしないでくださいね。

この準備段階で、なんと「すごいこと」が起こります。

腹式呼吸ができるようになると、声が良くなり、話し方が上手になり、軽い運動にもなります。

つまり、第1章に述べた**「朗読のメリット」の多くを「準備段階」で享受することができる**のです！

もちろん、この準備が完璧に終わらないと、次に進めないということではありません。この章でのウォーミングアップを行いつつも、次の章で行う「朗読のステップ」を並行して行っても大丈夫です。

資格試験や検定のようなものではないので、自分のペースでゆるく、楽しんでやりましょう！

ステップ1 腹式呼吸をマスターする

第1章で述べたように、魚住式朗読には腹式呼吸が欠かせません。

まずは腹式呼吸をマスターしましょう。

腹式呼吸のメリットについては拙著『たった1日で声まで良くなる話し方の教科書』（東洋経済新報社）で述べていますが、ここであらためて、まとめておきます。

腹式呼吸のメリット1 「つやのある、いい声」になる

腹式呼吸で話すと、誰でも自然と「大きく通る声」「つやのある、いい声」が出ます。

「いい声」とは**元気で若々しい、とても素敵な声**です。それは**聞き心地の良さ**につながります。

腹式呼吸のメリット❷　息が長く続く

腹式呼吸では、肺を下方向に思いきり広げます。肺を横に広げる「胸式呼吸」に比べて、**大量の空気を取り込む**ことができます。

これは、腹筋を使って肺のすぐ下にある横隔膜を押し下げることで、肺のスペースを大きく確保できるからです。

その結果、**一息で長い文章をいっきに読み切ることができる**ようになります。息の浅い「胸式呼吸」では、これができません。

腹式呼吸のメリット❸　声量をコントロールできる

腹式呼吸はたくさん息を吸って、正しい発声で声を出すので、自然と声量がアップします。

声量があるのとないのとでは、相手への「伝わる力」は全然違ってきます。

魚住式朗読では声量をコントロールする「抑揚」をつけるテクニックとして、大きな声だけでなく**意図的に音量を下げた小さい声**も使います。

大きな声が出ないと、小さい声とのメリハリがつかず、**相手への伝わる力は弱くなってしまいます**。腹式呼吸で声を出せば、しっかりメリハリもつけられます。**声量をコントロールできると、カラオケなども驚くほど上達します**よ。

腹式呼吸のメリット④ のどを傷めない

「胸式呼吸」は胸筋を使って肺を横方向に膨らませるので、胸や肩の筋肉を必要以上に使うことになり上半身が緊張します。

このとき、のどにも力が入ります。

この状態で大きな声を出したり、長く話しつづけたりすると、声帯まわりの筋肉にも力が入って緊張させてしまいます。その結果、のどを傷めてしまいます。

スピーチやプレゼンをしたあとに声がかれたり、のどが痛くなったりするという人がいますが、それは**「いい声の出し方」をしていない**からです。

腹式呼吸で声を出すと、のどに過剰に負担をかけることがないから、話したり朗読したりすることがとてもラクになります。

★ 腹式呼吸は誰でもできます！

日本人は欧米人に比べて、圧倒的に「胸式呼吸」をしている人が多いと聞きます。

日本語は、英語に比べて、少ない息でも声帯が震えて音になってしまうので、どうしても頻繁に息継ぎをして話す傾向があるそうです。

これに比べて、英語は大きく深い息で、息継ぎをせずにいっきに言い切ります。

私の見る限り、**多くの日本人は、息が浅く、息継ぎが多い「胸式呼吸」を使った話し方**になっています。

多くの人は「腹式呼吸は難しい」というイメージをおもちのようですが、大丈夫です。

腹式呼吸は誰でもできます！

仰向けに寝ているとき、眠っているときは、誰もが自然と無意識に腹式呼吸になっています。**決して特別な呼吸法でもない**のです。

次ページから早速、腹式呼吸トレーニングの具体的なやり方を紹介していきます。

これを続けるうちに、誰でも腹式呼吸をマスターできるはずです！

腹式呼吸トレーニング（準備）まず上半身の力を抜く

腹式呼吸トレーニングの準備編として、まず上半身の力を抜く練習をします。

上半身に力が入ったままだと、胸筋を使いやすくなってしまい、胸式呼吸の発声になってしまうからです。

上半身の力を抜くと、腹式呼吸で声が出やすくなります。

現代人は、何かと体に力が入りがちです。

この上半身の力を抜くトレーニングは、スピーチやプレゼンの前、初対面の人に会うときなど、緊張しがちなときにも使えます。

❶ぎゅっと力を入れて肩を上げる。3秒キープしてから、ストンと肩を下ろし、脱力する。

❷❶を3回繰り返します。上半身の硬さや緊張がとれ、腹式呼吸

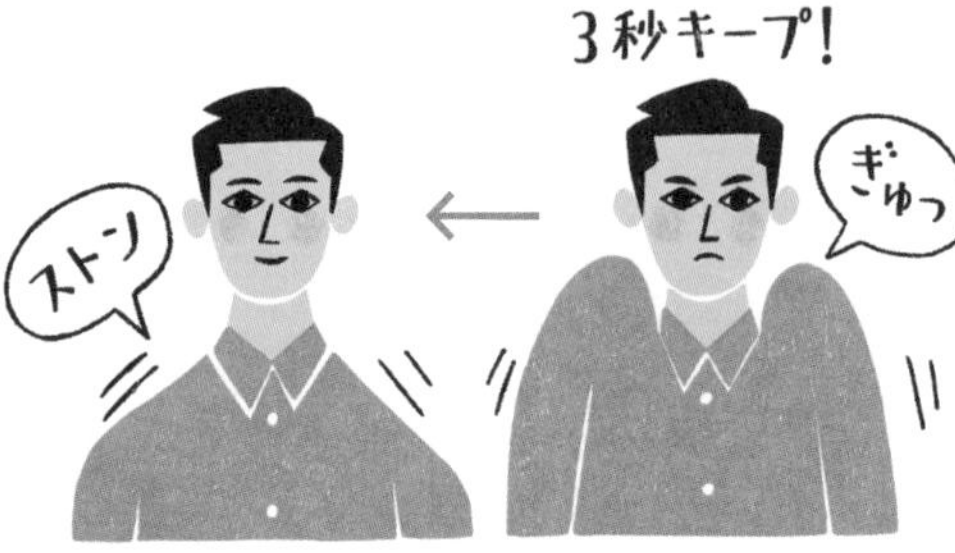

に入りやすくなります。

腹式呼吸トレーニング（その❶）寝っ転がりバージョン

上半身の力を抜く練習ができたら、次に仰向けに寝ながらやるトレーニングに移ります。

仰向けに寝ると背中が床面に固定されているので、呼吸によってお腹が膨らんだり凹んだりする様子がわかりやすくなります。

まずは、この感覚を覚えるようにしてください。

❶仰向けに寝ます。

❷口で「フゥー」と息を吐き、鼻から「スゥー」と吸いましょう。この段階ですでに腹式呼吸に

口から吐いて、お腹を凹ませる

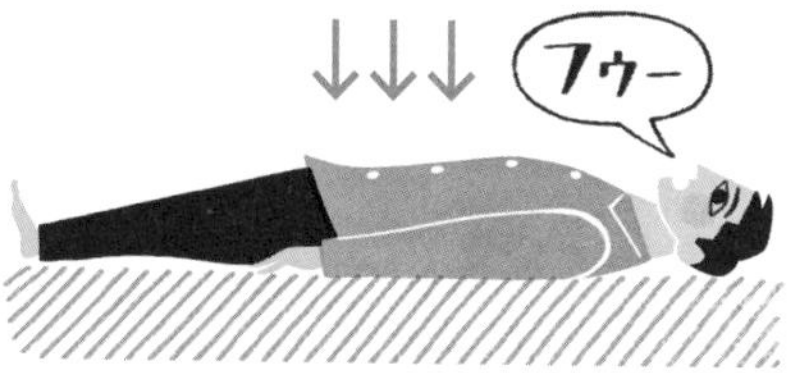

鼻から吸って、お腹を膨らませる

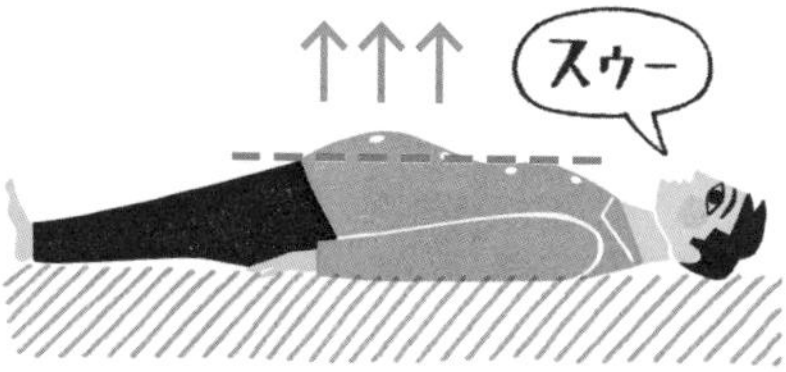

なっているので、息を吐くとお腹が凹み、息を吸うとお腹が膨らむのを確認してください。

❸重さのある本（図鑑、写真集など）をお腹の上に置きます（本でなくても、ノートパソコン、かばんなど平べったくて安定しているものなら、何でもOK）。腹式呼吸になっていると、本がお腹の上で上下しますので、確認をしながら呼吸を続けます。私もこのトレーニングを日常的に行っています。

腹式呼吸トレーニング（その❷）立って行うバージョン

「寝っ転がりバージョン」で腹式呼吸の感覚がつかめたら、次は立って行う腹式呼吸トレーニングです。

立ちながらでも、壁面を利用することで、お腹の動きがわかりやすくなります。

❶背中を壁につけて、肩幅程度に足を開いて立ちます。このとき、首と肩の力は抜いて、上半身をリラックスさせておきます。

❷片手をお腹に添えて、腹筋に意識を集中させ、息を吐くことから始めます。口から「フゥー」と息を吐きながら、お腹をゆっくりと凹ませていきます。息を吐き切って、腹筋をギリギリまで縮めます。

❸鼻から「スゥー」と息をいっきに吸い込みます。このとき、お腹をゆるめるのと同時に腹筋を使い、わざとお腹を膨らませます。肩に力が入らないように注意してください。

❹❷と❸を繰り返します。慣れてきたら❸→❷の順序で、「吸う」ところから始めてみましょう。

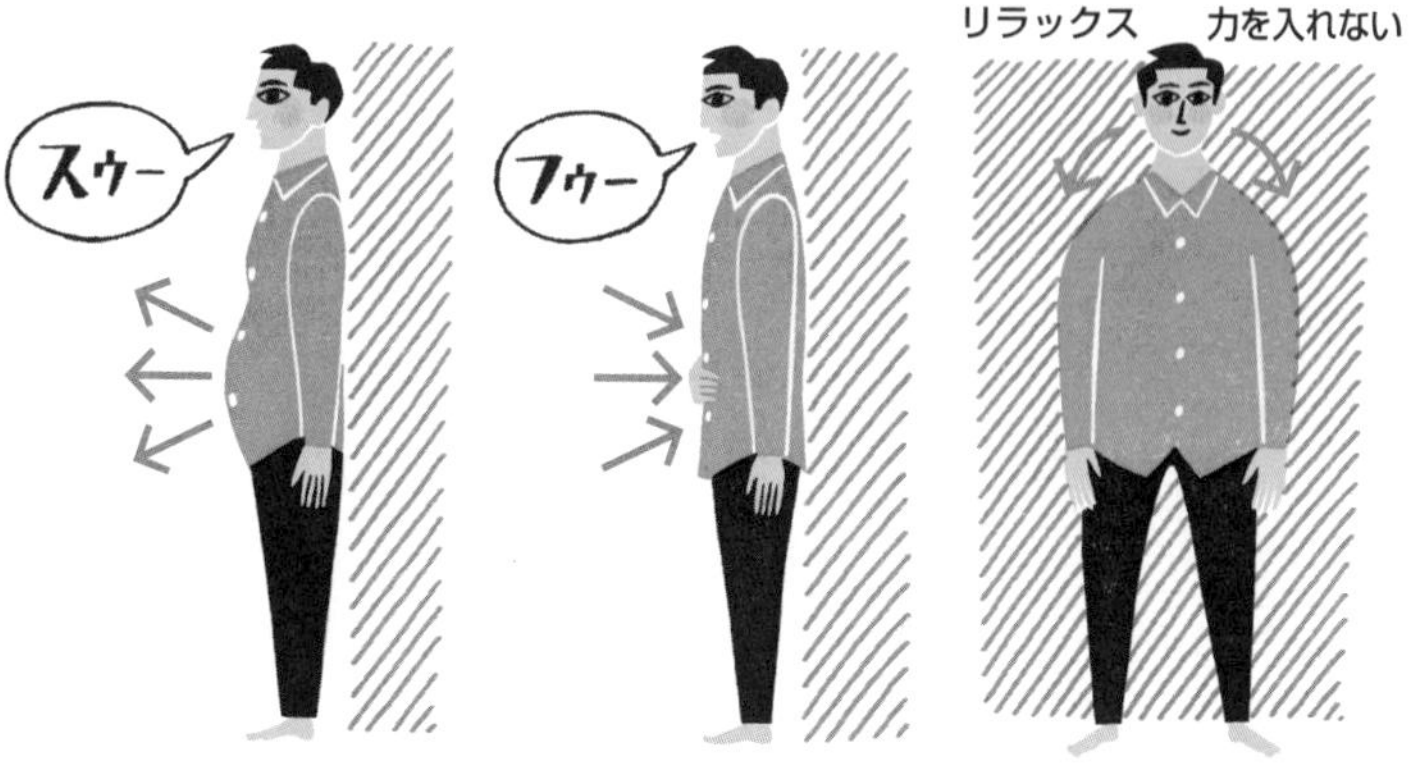

注意!

肩や胸は絶対に動かさないこと。お腹のみを動かします。とくに男性の場合、息を思いきり吸い込んで肩や胸の筋肉を動かしてしまう傾向があるので、気をつけてください。

★ トレーニングの時間、頻度はどうすればいい？

腹式呼吸のトレーニングは気づいたときに**朝1分**ほどでも構いません。**自分が続けやすいスタイル**で行っていただければ大丈夫です。

トレーニング時だけでなく、日常生活の中でも気がついたときは腹式呼吸を意識してみましょう。

こうやって「腹式呼吸」を意識して取り入れていくうちに、自然に腹式呼吸が身についていくはずです。

りえの耳寄りコラム▼

腹式呼吸&発声トレーニング（上級編トレーニング）

上級編として、発声練習を兼ねた腹式呼吸トレーニング（長音&中短音トレーニング）も紹介しておきます。

どちらもこのやり方にしたがって声を出すだけで、必ず腹式呼吸ができるので、ぜひやってみてください。

❶長音トレーニング

肩幅程度に足を広げ、お腹に軽く手を当てて立ちます。

腹式呼吸で膨らませたお腹を少しずつ凹ませながら、「アーーー」とできるだけ大きく声を出し、できるだけ長く伸ばします。

男性ならば最初は20秒程度、女性ならば10秒程度が目安。慣れるにつれて、徐々に延ばしていきます。これを3～4回繰り返します。

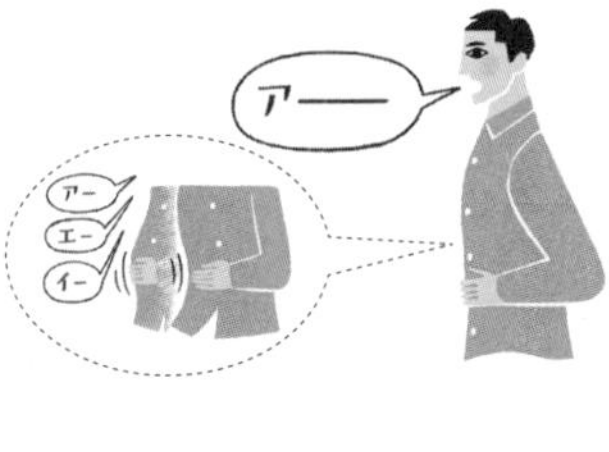

❷中短音トレーニング

長音トレーニングの要領でお腹に手を当てて、今度は少し短めに「アー、エー、イー、ウー、エー、オー、アー、オー」と声を出します。

このとき、腹筋をきちんと使って、一音ごとにお腹をリズムよくバウンドさせるように息を吐き、発声します。ア行からワ行まで、この要領で行います。

ステップ❷ 表情筋&滑舌トレーニング

次は、**「表情筋&滑舌トレーニング」**です。

エクササイズ前のストレッチと同じで、「準備」をすることで、本番で話すときに滑《なめ》らかに口が動きます。

「滑舌を良くしよう」「明瞭に発音しましょう」といっても、急にできるものではありません。

顔には「表情筋」という筋肉があります。口を動かしてしゃべるとき、喜怒哀楽の表情をつくるとき、この表情筋を使っています。

ところが、表情筋も筋肉ですから、使わないと衰えてしまいます。また残念なことに、**加齢とともに、表情筋は自然と退化してしまいます**。

ですから、まずこの**「表情筋トレーニング」を行って「話す準備」をする**ことが大切。

またこのトレーニングはイコール、**「若返りのエクササイズ」**でもあります。

前述のように、表情筋を鍛えることで、リフトアップし、若々しい顔になります。もちろん小顔効果も期待できます。ぜひやってみてください。

▼表情筋や舌のトレーニング

❶舌のストレッチ

最初に、舌の動きを滑らかにするためのストレッチを行います。

[1]
口は閉じたまま、舌でぐるりとひとまわり、歯ぐきを舐める。逆回りも同様に。それぞれ3周

[2]
舌を横に出し、左右に動かす。往復10回

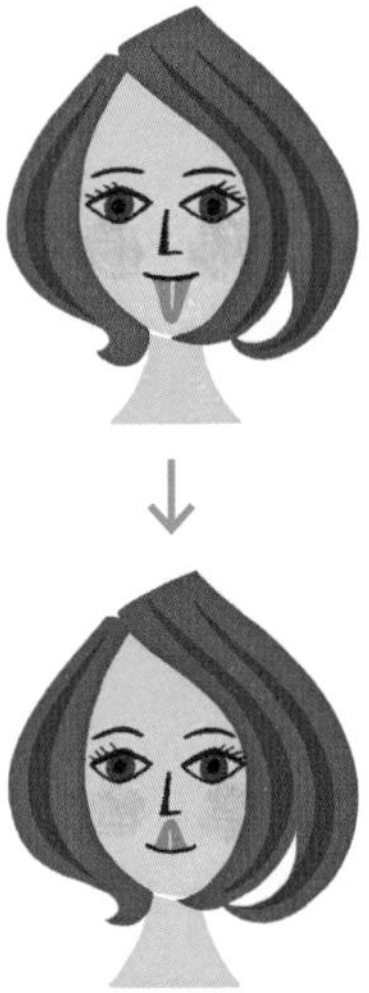

[3]
舌を思いきり出して、上下に動かす。往復10回

❷唇まわりを柔軟にする

アナウンスやナレーションの直前にも行うウォーミングアップです。

［1］しっかりと口を動かして、発音する。少しずつ、速く、長く言えるように。

パパパパパパパパパパ……　ママママママママママ……

タタタタタタタタタタ……　カカカカカカカカカカ……

ララララララララララ……

［2］唇を軽く閉じて、小刻みに振動させる。

（プルプルプルプルプルプルプル……）

※本番前に行うときは、唇が乾燥しないように気をつけること

［3］舌を「R」を発音するときのように「巻き舌」にして、「ルルルルルルルルルル……」と音を出します。

［4］頬の筋肉を上下させながらマッサージする。

［5］冬場の乾燥する時季はリップクリームを塗り、できたらお肌に乳液を！　話しやすくなりますよ。

唇をプルプルと
ふるわせましょう

本番前に、顔の筋肉を
マッサージするのも有効です

❸基本の口の形

基本となる母音をクリアに発するための口の形は、イラストのとおりです。徹底的に体に覚え込ませてしまいましょう。

ア

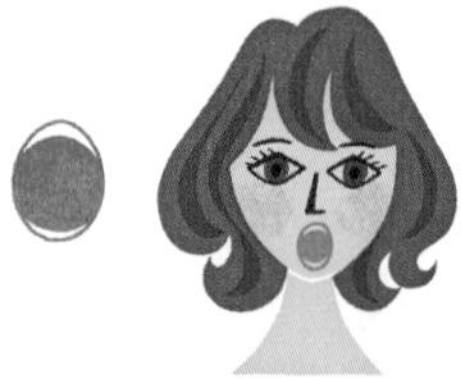

上下の歯が見える
くらいに、大きく、
丸く口を開ける

イ

口の両端を思いき
り横に引っ張る

ウ

チューの形で口を
すぼめるが、少し
ゆるめて

エ

イの形から、下唇
だけを下げて

オ

アとウの中間程度
に口を丸く開ける

鏡を前にして、「やりすぎ?」と思うほど極端に口を動かします。顔の筋肉が鍛えられることで、普段の会話における口の動かし方は格段にラクになります。

❹変顔エクササイズ

顔の筋肉を動かすことで滑舌を良くするための簡単なエクササイズです。

声を出さなくてもできるので、発声練習に比べれば場所を選ばないかもしれません。

1日のスケジュールに組み込んで、リフレッシュも兼ねての毎日の習慣にしてみてください。

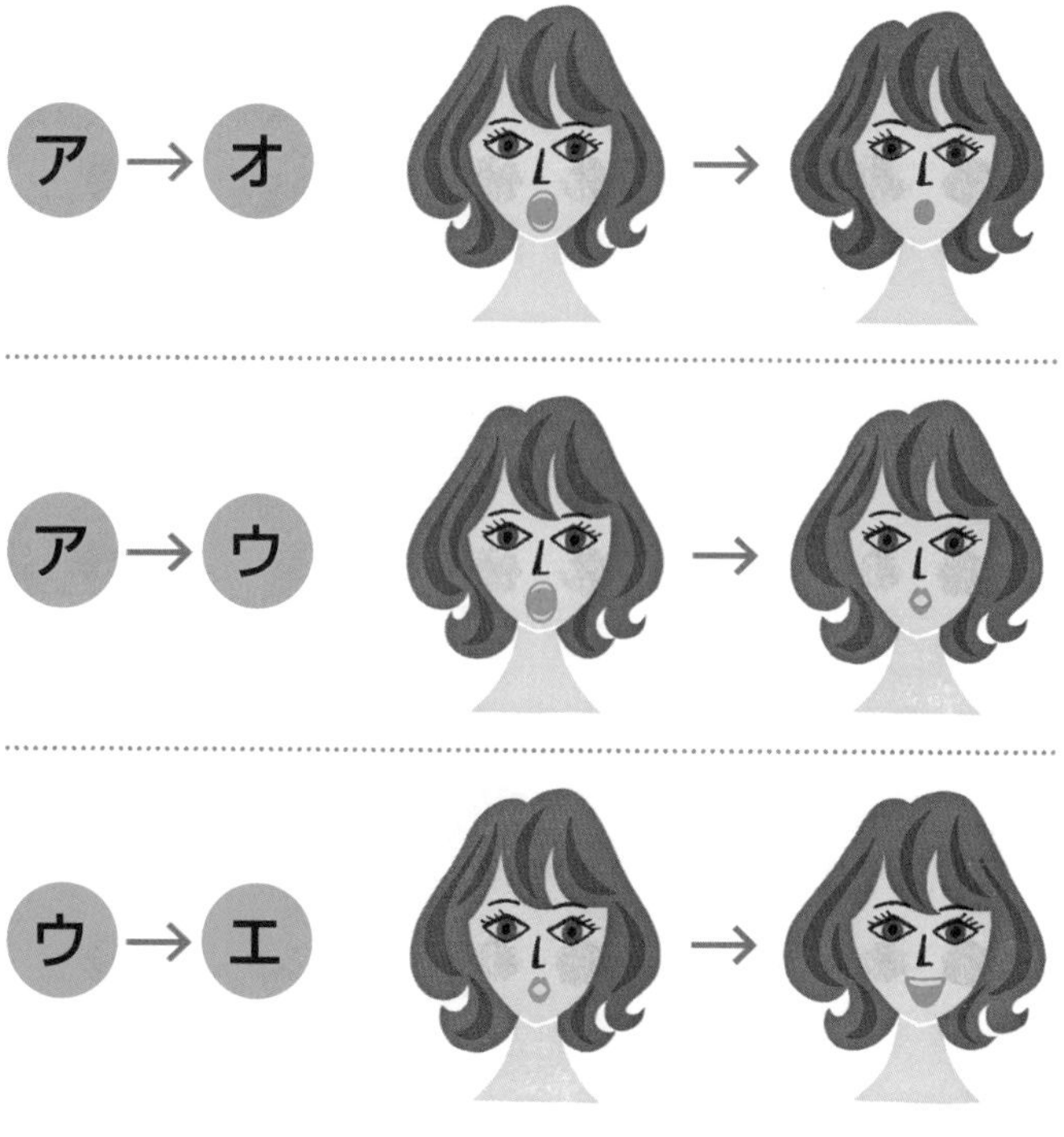

【1】 目を見開いて、口の形をきちんと顔に覚え込ませましょう。

ア→オ

ア→ウ

ウ→エ

【2】 目元をゆるめて、笑顔で。けれど口の動きははっきりと。

イ→ウ

イ→エ

ア→エ

★「1日いい声で過ごす秘訣」は？

いろいろなトレーニングを紹介しましたが、これらのすべてを行わなければいけないということではありません。

時間がなければ「表情筋トレーニング」だけでも結構です。回数も決まりはないので、好きなだけ行ってください。

また頻度は毎日でなくても、週に何回かでもＯＫです。

大事なことは続けること。

無理なく、楽しめる範囲で、ゆるく続けていきましょう。

このトレーニングは朗読の前に限らず、いつ行っても結構です。

私のおすすめは朝一番で行うこと。

朝、このトレーニングで表情筋と滑舌を良くしておけば、その日は1日、「いい表情」「いい声」で過ごすことができますよ。

▼エクササイズにピッタリ！　カウント腹筋（上級編トレーニング）

腹式呼吸、表情筋＆滑舌のトレーニングを紹介してきましたが、「腹式呼吸＆滑舌」がいっぺんにトレーニングできる方法があります。

それが**「カウント腹筋」**です。

このトレーニングは大きな声で数をカウントするだけで、自然と腹式呼吸ができて、しかも滑舌も良くなるというものです。

このトレーニングのいいところは、テクニックが不要なところ。

本当に誰でも、お子さんでも、できるものです。それでいて、効果は抜群。

しかもこのトレーニング、かなりのダイエット効果が期待できます。

私も、この「カウント腹筋」をすると、軽く汗ばむほど、いい運動になります。

魚住式スピーチメソッドのクラスでも、レッスンの前にこれを行います。

生徒さんからは「これを毎日やっていたらウエストがサイズダウンした」「お腹が凹んだ」と大好評なので、ぜひ取り入れてみてください。

座る、立つなど体勢はお好みで。

お腹に手を当てて、「イチッ、ニッ、サンッ、シッ、ゴッ……ジュウッ」と1から10まで大きな声でカウント。

その際、カウントと同時に思いきりお腹を引っ込めて空気をいっきに押し込み、即座にゆるめます。この動きを瞬発的に行います。

1〜10までのカウントを合計3セット、休みを入れずに連続で。お腹を確実にバウンドさせながらカウントします。

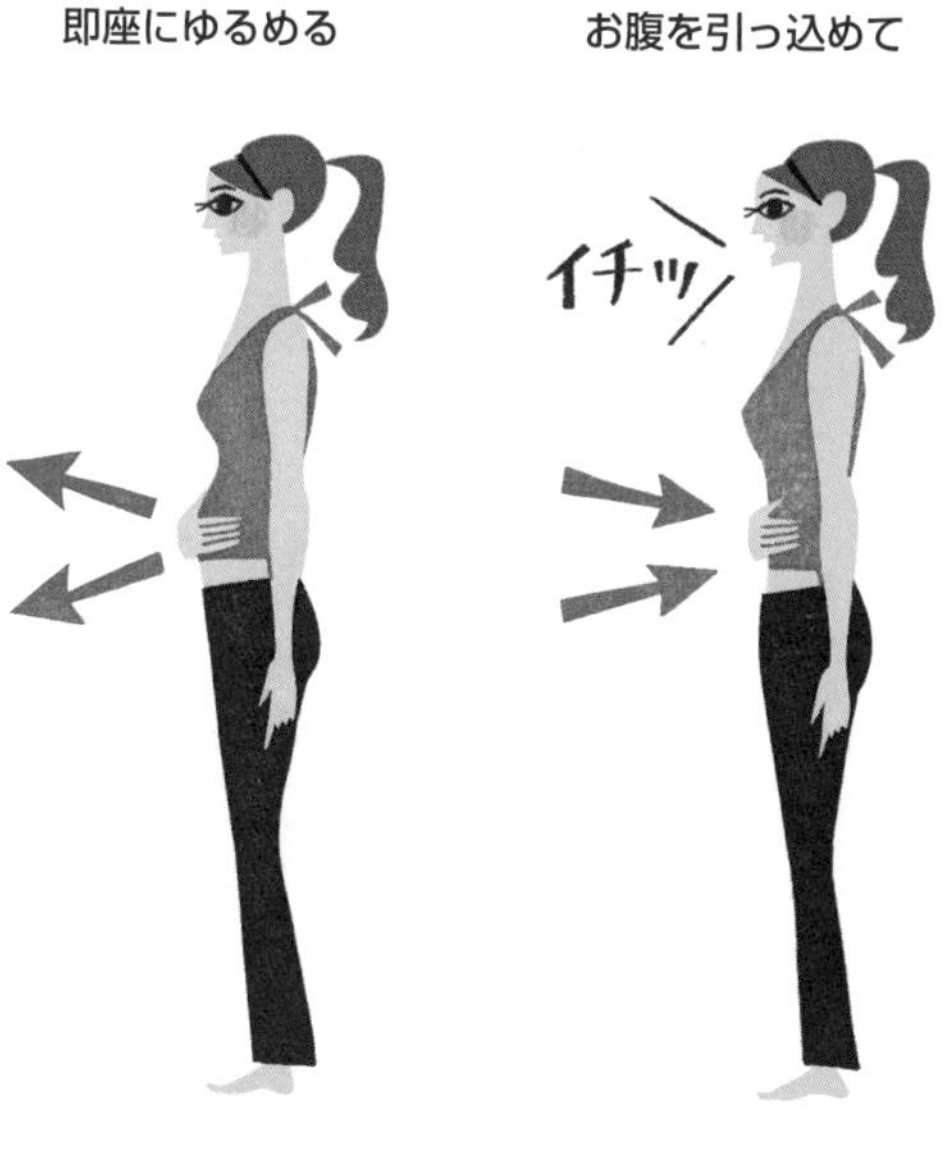

ステップ3　「声」を整える

準備の仕上げは「声」です。

朗読を行うときは**「声を整えること」**がとても大切になります。

私たちは出かけるときは着替えたり、髪の毛をとかしたりして、身だしなみを整えますよね。

朗読もそれと同じ。普段のままではなく、**「整えた声」で読む**ことが大事です。

声の整え方のコツは**「高さ」**と**「声量」**にあります。

声の整え方1 ▼基本は「普段より高めの声」

まず**「普段より少し高めの声」**を出します。普段の自然な声の高さが「ド」だとすると、「ソ」くらい思いきって高い声を出しましょう。

「普段のラクな声の高さ（ド）」で読むのは、パジャマ姿、すっぴんで人前に出るのと同じことと思ってください。

「高い声」の出し方のコツは、「唇の高さ」を（ド）だとすると、「鼻に口がある」（ソ）と思って出すことです。

最初は「ン〜〜〜」とラクに出る普段の高さの声を出していって、ここからがんばって少しずつ声を高くしていきます。

鼻がビーンと振動するようなところまで、声を高くするのがポイントです。

やり方としては、人差し指と中指をそろえて鼻の頭に置きます。声を徐々に高くしていき、指に振動が伝わる高さまで音程を上げていきます。

「ン〜」で自分の高めの声が出せるようになったら、次は指を離してその高さを維持しながら「オ〜」と口を丸く開けて発声します。

最後は、大きく口を開けて、同じ高さの音で「ア〜」と思いきって声を出します。

この自分の「ソ」の声の高さがつかめたら、この高さをキープして発声練習をします。

声の整え方 2 ▼声量を上げる

朗読では**「一定の声の大きさを保つ」**ことも非常に重要です。声量が足りないと、聞きづらく、相手に内容が届きません。

試しに「普通に読んでください」と言うと、ほとんどの人が声量不足です。

もちろん、内容や雰囲気によっては、わざと小さい声で読むこともありますが、**声量は、意識して普段より上げて読む**ことが大事です。

コツとしてはお腹をグッと引っ込めながら、思いきって「大きな声」を出すことです。お腹に力が入ると、自分でも驚くほど、つやのあるいい声が出ます。

無理に「大きな音」を出さなくても、「高い声」を出すだけで、自然と声量も上がります。

つまり**朗読の基本は、普段より「少し高く」「大きい」声で発声する**ということになるのですが、注意していただきたいのが、このとき、**首や肩、上半身に力を入れないように気をつける**ことです。

大きな声を出そうとすると、どうしても力んでしまいますので、まずは力を抜くエクササイズをしてください（60ページ）。決して、上半身に力を入れて、声帯まわりの筋肉を緊張させないように注意しましょう。

また、先に紹介した発声トレーニング（65ページ）、変顔エクササイズ（71ページ）、この後紹介する早口言葉（85ページ）なども、すべて「ソ」の、普段より「高い声＋大きな声」で行うようにしてくださいね。

声の整え方 3 ▼「声のトーン」を使い分ける

いま説明したように、朗読は**基本的には自分にとっての「ソ」の音で読みます**が、作品の内容によっては変える必要があります。

「作品の内容が明るい＋聞き手が子どもなど」の場合には、**「ソ」ではなく、もう一音高い「ラ」、場面によっては「シ」くらいの甲高《かんだか》い声でもいい場合**があります。**「シ」は「おでこに口がある」イメージ**です。

反対に、シリアスな作品の場合は、基本は「ソ」で読みつつ、シーンによって**1オクターブ下の「ソ」まで下げたりする**のが効果的です。**下の「ソ」は「のどぼとけに口が**

►「声のトーン」を使い分けよう

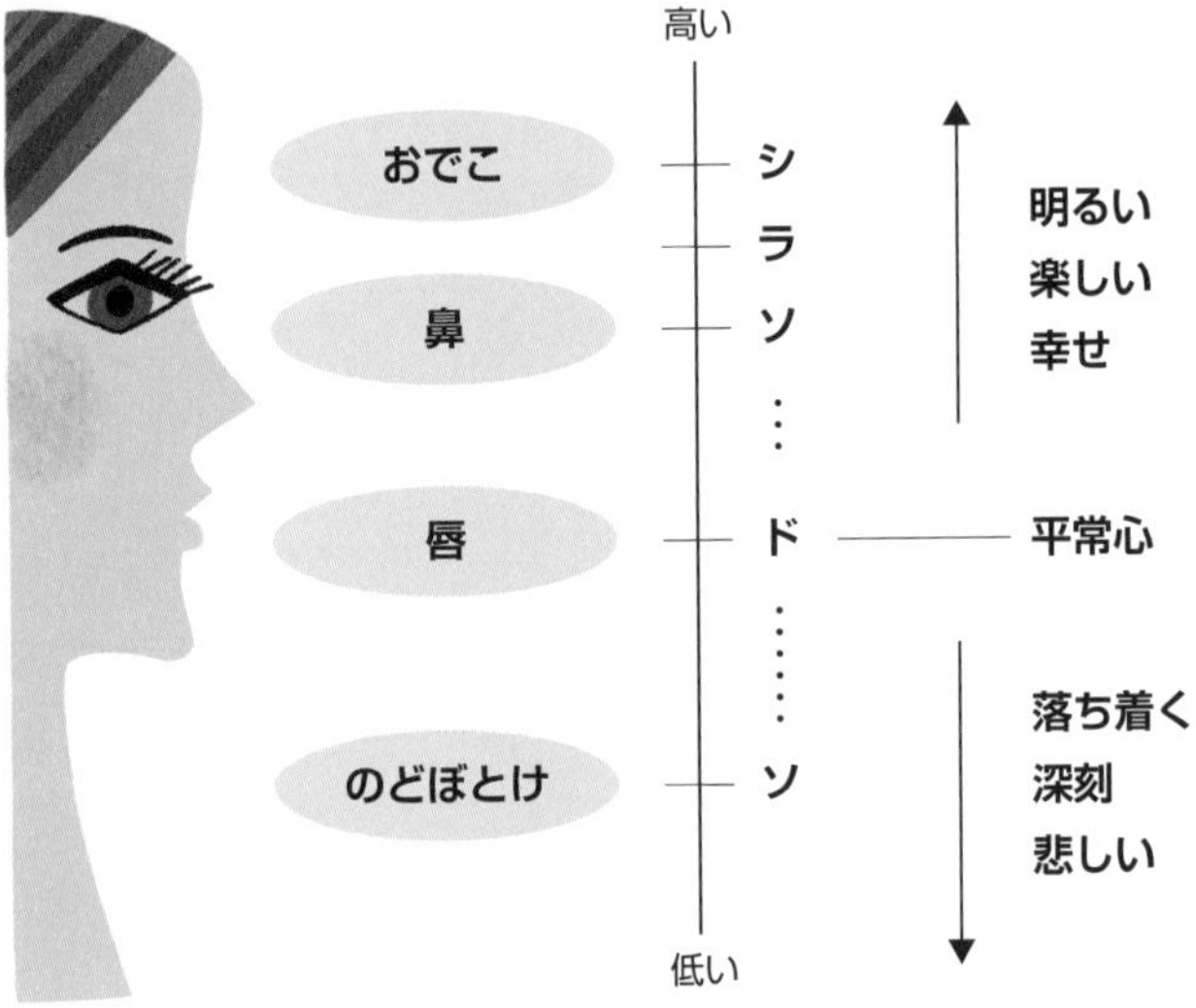

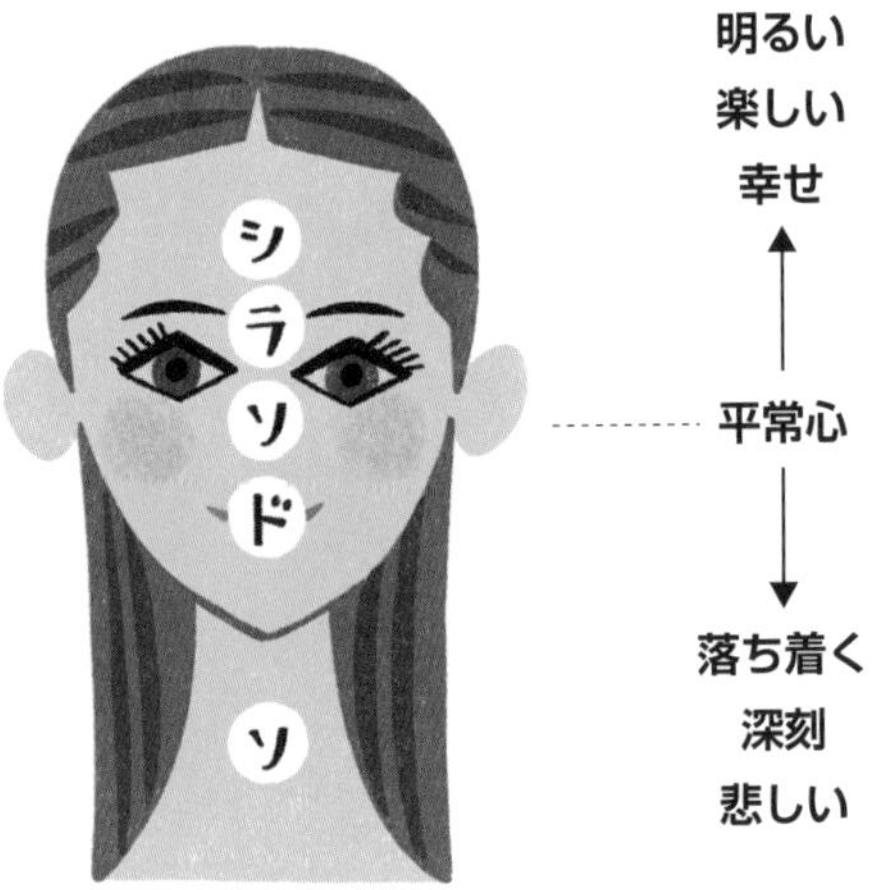

ある」イメージです。

「低い音」は、落ち着きと同時に、深刻さも表現できます。

声の整え方 4 ▼ 自分の「最高の声」を見つけよう

トレーニングをやってみると実感できるはずですが、**声は「出し方」によって、さまざまに変化する**ものです。「どんな人でも必ずいい声が出せる」と述べましたが、**本当に声はトレーニング次第**です。

でも、自分の「最高の声」がどんなものか、なかなか自己判断はしづらいですよね。

それがわかる「いい方法」があります。

「いい声」が出ているときは、体のどこかに響くのです。

読みながら、話しながら、**「声が体のどこかに響いている」と感じられたら、それは腹式呼吸による「最高の声」が出せている**証拠。

私は調子のいいときは、「背中」に響くのを感じます。ほかにも腰や、プロの中には太もものあたりに感じる人もいるようです。

いずれにしても場所は関係なく、身体のどこかに響いていると感じられたら「最高の声」が出ている証拠です。

自分で実践して、体感してみてください。

声の整え方 5 ▼「声の高さ×声量」で伝える力が劇的につく

前項までにお伝えした「声の高低」と「声量」。

じつは、これを掛け合わせて使うことで、朗読はいっきに上達します。

まずは**段落ごとの内容に合わせて、雰囲気に合った「声の高さ」と「声量」を変えてみましょう**。

たとえば、読みはじめは「明るく」「高めの」「大きい声」でスタート。

しっかりと聞いてほしい真面目な場面に入ったら声を「さらに大きく」し、「少し低い声」で、わざと間をあけながら話します。

ちなみに話しながら間をとると、聞き手が話し手に注目するだけでなく、お互いの呼吸が瞬間的に合うので、話にグッと入り込んできてくれます。

►「声の高さと声量」を操れば、伝える力がぐんと上がる

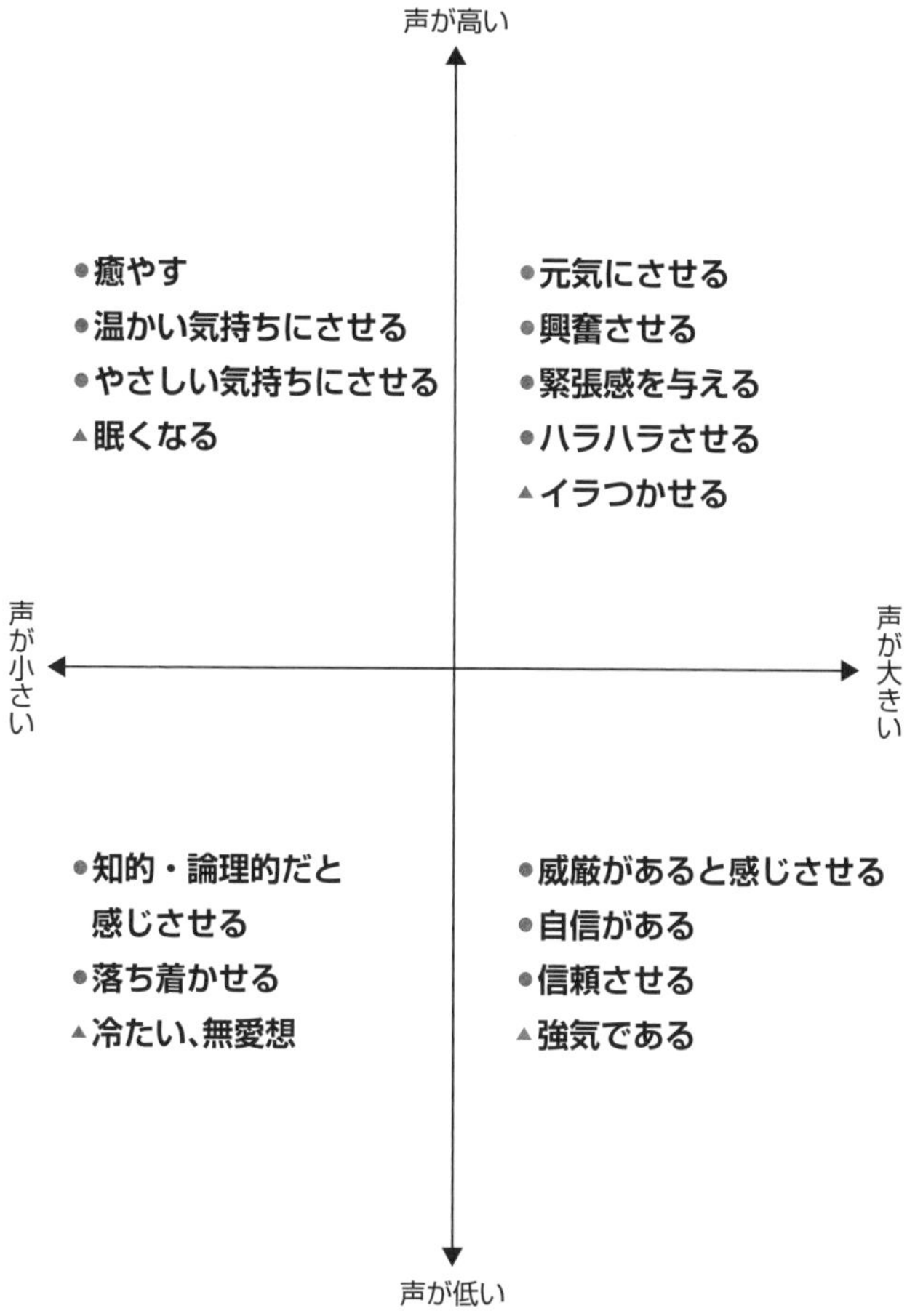

※▲はマイナス面

83ページの図のように「声の高さと声量」をコントロールすることで、伝える力が格段に上がります。

声の整え方 6 ▼早口言葉でウォーミングアップ！

これまで挙げたことに留意しながら、早口言葉に挑戦してみましょう。**早口言葉は、しっかりと舌と表情筋を動かさないと噛んでしまうので、朗読のウォーミングアップにはぴったり**です。

まずは舌と表情筋をよく動かして、はっきり丁寧に発音するように意識しましょう。

早口言葉というと、「できるだけ速く読まなければ！」と思ってしまうかもしれませんが、これは滑舌を鍛える練習なので、**ゆっくりからスタートすれば大丈夫**。慣れてきたら徐々にスピードアップしてください。

息継ぎなしで一文を読み切るのが理想ですが、長い文章もあるので、苦しい場合は息継ぎをしても大丈夫です。その場合は一文を読み終わるごとに息を吐き切り、きちんとお腹を膨らませて（腹式呼吸を意識して）、次の文へ進んでください。

▼やってみよう　おすすめの「早口言葉の20のトレーニング」を一挙公開！

❶庭《にわ》にはにわとりが二羽《にわ》いました

❷ジャズシャンソン歌手《かしゅ》

❸打者《だしゃ》　走者《そうしゃ》　勝者《しょうしゃ》　走者一掃《そうしゃいっそう》

解説 ❸は文字だけを見ると混乱してしまいますが、場面をイメージして理解しながら読むとクリアできます。

❹この杭《くい》の釘《くぎ》は引《ひ》き抜《ぬ》きにくい

解説 ❶〜❹までは、息継ぎなしで読めると思います。

❹の「ひきぬきにくい」が「ひきにくにくい」とミンチ肉になってしまわないよう注意！

❺うちのつりびんはつぶれぬつりびん、隣《となり》のつりびんはつぶれるつりびん

解説 ❺は一息で読めるように。

❻マグマ大使《たいし》のママ　ママママグマ大使《たいし》

解説 ❻「ママママグマ」がひっかかりどころです。気をつけて！

❼新設《しんせつ》診察室《しんさつしつ》視察《しさつ》

解説 ❼サ行がたくさん出てきますね。「せ」と「さ」の区別をはっきりつけて発音しましょう。

❽駒込《こまごめ》のわがまま者《もの》　中野《なかの》の怠《なま》け者《もの》

解説 ❽も文字だけ追わずに、意味をとらえてイメージすると間違えにくいです。

❾あの人《ひと》のぬう布《ぬの》の名《な》は何《なに》？　あの布《ぬの》の名《な》は名《な》のない布《ぬの》なの

解説 ❾～⓴は難易度が高いものを選びました。

❾「ぬうぬののなはなに」が言いにくいですね。最初はゆっくり丁寧に発音し、慣れてからスピードアップしてください。「?」で息継ぎしても構いません。

❿歌唄《うたうた》いが来《き》て歌唄《うたうた》えと言《い》うが、歌唄《うたうた》いくらい歌《うた》うまければ歌唄《うたうた》うが、

歌唄《うたうた》いくらい歌《うた》うまくないので歌唄《うたうた》わぬ

解説 ⑩長いですね。読点（、）で息継ぎします。こちらも最初はゆっくりから。集中力が試される例文です。

⑪東京《とうきょう》 特許《とっきょ》許可《きょか》局《きょく》 長《ちょう》今日《きょう》急遽《きゅうきょ》　休暇《きゅうか》許可《きょか》却下《きゃっか》

解説 ⑪もしかしたら、この中でいちばん難しいかもしれません。言葉の意味を理解してから、発音をスタートしましょう。

⑫茶《ちゃ》たばこのんで　たばこ茶《ちゃ》のむ　茶《ちゃ》たばこ　たばこ茶《ちゃ》　茶《ちゃ》たばこのむ

解説 ⑫リズム感が大事！　リズムに乗って読みましょう。

⑬空虚《くうきょ》な九州《きゅうしゅう》空港《くうこう》の究極《きゅうきょく》高級《こうきゅう》航空機《こうくうき》

解説 ⑬声に出す前に、一読して発音してくださいね。

⑭きくりきくりみきくくり　あわせてきくくりむきくくり

解説 ⑭「み」と「き」の違いに気をつけて。

⑮ラバかロバかロバかラバかわからないので、ラバとロバを比《くら》べたらロバかラバかわからなかった

解説 ⑮「ロ」と「ラ」を丁寧に発音してください。長いので「、」で息継ぎしてもOKです。

⑯月《つき》づきに月見《つきみ》る月《つき》は多《おお》けれど、月見《つきみ》る月《つき》はこの月《つき》の月《つき》

解説 ⑯「つき」「つきみる」など、母音の「う」「い」がたくさん出てきます。日本人が最も苦手とされる2つの母音の連続です。「い」は口を横に引っ張り、「う」は口を丸くすぼめます。決して省エネで発音しないように！　口まわりの筋トレです。

⑰客《きゃく》が柿食《かきく》や飛脚《ひきゃく》が柿食《かきく》う、飛脚《ひきゃく》が柿食《かきく》や客《きゃく》も柿食《かきく》う、客《きゃく》も飛脚《ひきゃく》もよく柿食《かきく》う客飛脚《きゃくひきゃく》

解説 ⑰「かき」「きゃく」「ひきゃく」などカ行が連続して出てきますね。最後の「きゃくひきゃく」まで気を抜かないように！

⑱新進《しんしん》シャンソン歌手総出演新春《かしゅそうしゅつえんしんしゅん》シャンソンショー

解説 ⑱出ました！　アナウンサー泣かせ（少なくとも私は苦しみました……）の例文です。「そうしゅつえん」

のあと少し間をとると言いやすいかもしれません。

⑲どじょうにょろにょろ　みにょろにょろ　合《あ》わせてにょろにょろ　むにょろにょろ

解説 ⑲「むにょろにょろ」が難しいかも。慌てずゆっくり発音しましょう。

⑳伝《でん》染《せん》病《びょう》予《よ》防《ぼう》病《びょう》院《いん》予《よ》防《ぼう》病《びょう》室《しつ》　伝《でん》染《せん》病《びょう》予《よ》防《ぼう》法《ほう》

解説 ⑳「ぼう」と「びょう」をしっかり区別して発音しましょう。

りえの耳寄りコラム ▼「モノマネ」も効果的なトレーニングです！

意外かもしれませんが、**朗読の上達には「モノマネ」がとても効果的**です。お手本とする音声データを聞いて、その人の声の高さ、スピード、ボリューム、間合い、テンションの上がり下がりまで全部、マネをするのです。

照れる必要などありません。本人になりきったつもりで、徹底的にやってみてください。

そしてそれを録音して、お手本と比べてどうか、聞き比べます。

「ここが違うな」というところが見つかったら、修正します。これを続けるだけで、朗読は劇的に上達します。

また費用はかかりますが、「オーディオブック」というものがあります。

オーディオブックは文字どおり「聞く本」。書籍をアナウンサーやナレーターが読み上げてデータ化したものです。CDやダウンロードで入手できます。

アマゾンには「Audible（オーディブル）」という専門ストアもあります。

私の『たった1日で声まで良くなる話し方の教科書』と『たった1分で会話が弾み、印象まで良くなる聞く力の教科書』も「Audible」でオーディオブックになっています。私自身がすべて朗読したおすすめの2冊です。

日本ではオーディオブックはあまり一般的でないのですが、アメリカではかなり人気のようです。

とはいえ、日本でも最近ではかなり点数も多くなってきているようなので、お気に入りの1冊を見つけて、お手本にしてもいいかもしれません。

第3章

「話し方と声に効く朗読」はどうすればいい？

初心者でも必ずできる「基本」と「秘訣」を完全公開！

★ 魚住式朗読トレーニング、「3つのステップ」は？

魚住式朗読トレーニングは、次の3ステップに分かれます。

❶黙読　→　❷音読　→　❸朗読

いきなり「❸朗読」をするのではなく、「❶黙読」「❷音読」というステップを踏んでから「❸朗読」に入ります。

なぜこのステップが必要なのかというと、**最初に内容を理解してから「どう伝えるか」というプランを練る**からです。

そのプランの立て方も、「各自ご自由に……」というものではなく、魚住式のメソッドがあります。

このやり方をなぞるだけで、誰でも**相手の心に響かせる朗読**が可能となるのです。

私は仕事で渡された原稿も、必ずこの３ステップの作業を行ってから、本番にのぞみます。

よほどの事情（生放送で急に事件が起こって原稿が差し替わったなど）がなければ、渡された原稿をそのまま読むことはありません。

短い時間でもサッと黙読し、軽く声に出して読み、意味をつかんでからニュースを読みます。

さあ、それではステップごとに紹介していきましょう！

魚住式朗読ステップ ① 黙読

朗読する前に、まず行ってほしいのが黙読です。

ここでは題材として偉大なる経営者・松下幸之助氏の『松下幸之助「一日一話」』（PHP総合研究所編、PHP文庫）から、「師は無数に存在する」を取り上げます。

私自身が小さいながらも会社を経営しているので、この本を常に傍らに置いて、自分を戒め、また時々、自分の練習として朗読もしています。

みなさんに自信をもっておすすめできる**「朗読用に最適の原稿」**です。

「師は無数に存在する」　朗読用原稿

手近に親切な指導者、先輩がいて、自分を導いてくれる、そういう人が会社にいる人は幸せだと思います。しかし見方によれば、指導者のいないところにこそ、みずからの発展というものが考えられる、ということも言えるのではないかと思います。

蓄音機や白熱電灯などを発明開発したあの偉大なエジソンには指導者がいなかったそうです。それでみずからあらゆる事物《じぶつ》に関心を持ち、そこに指導者を見出しました。汽車にのれば、石炭を焚く音や車輪の音に指導者を見出したわけです。みず

からを開拓する気持ちになれば、行く道は無限に開かれている、師は無数に存在していると思うのです。

（『松下幸之助「一日一話」』より）

朗読するにあたって、その前に原稿をどう黙読すればいいのか。

黙読は内容を理解するために行うもので、次の3つのポイントがあります。

黙読の秘訣 1 ★「内容」を把握する

何が書かれているのか、何をいいたい文章なのか、筆者の意図をくみ取りながら読みます。

全体の情景を把握する**「マクロの視点」**と、言葉一つひとつの意味を考えるといった**「ミクロの視点」**の両方を意識しましょう。

私の場合は、そこに描かれている内容を脳内に映像で思い浮かべて、想像力を駆使して読み進めていきます。

默読の秘訣 2 ★「構成」を考えて読む

段落ごと（改行ごと）、あるいは一文ごとのもつ意味、役割を考えていきます。

文章は、段落ごと、一文ごとに**「導入」「問題提起」「具体例」「補足」「結論」**などの意味、役割をもっています。

たとえば、今回の例文であれば、次のようになります。

「師は無数に存在する」

手近に親切な指導者、先輩がいて、自分を導いてくれる、そういう人が会社にいる人は幸せだと思います。←導入 しかし見方によれば、指導者のいないところにこそ、みずからの発展というものが考えられる、ということも言えるのではないかと思います。←問題提起蓄音機や白熱電灯などを発明開発したあの偉大なエジソンには指導者がいなかったそうです。それでみずからあらゆる事物《じぶつ》に関心を持ち、そこに指導者を見出しました。↑具体例　汽車にのれば、石炭を焚く音や車輪の音に指導者を見出したわけです。↑補足　みずからを開拓する気持ちになれば、行く道は無限に開かれている、師は無数に存在していると思うのです。↑結論

「この段落（文章）では何が書かれているのか」をざっと把握すればOKです。

たとえば私の場合は「あらゆるものから貪欲に学ぶ気持ちを大事にすること」「常に成長しつづける大切さ」などに気づきました。

ちなみにこの作業を続けていると、**驚くほど国語力がつきます**よ！

黙読の秘訣 3 ★「自分がこの文章で伝えたいこと」を考える

次に「この原稿を読んだ自分が、相手に何を伝えたいのか」を考えます。

とはいえ、難しく考える必要はありません。自分がその文章の中で、著者に共感したこと、気づいたこと、感動したことなどを考えてください。

魚住式朗読ステップ 2 音読

「ステップ1　黙読」で内容を把握したら、次は音に出して読んでいきます。

この作業では**「書き込み」**をしていきます。

手元にボールペンかマーカーをご用意ください。ボールペンは赤や青など、色つきのものをおすすめします。

これには5段階あるので、順に説明していきます。

音読の秘訣 1 ★「読みづらい箇所」「切るべき箇所」をチェックする

黙読はできても、原稿を実際に声に出して読んでみると、すんなり読めないことは多いものです。主に次のような箇所をチェックしてみましょう。

- 読めない漢字
- はじめて知る言葉
- 苦手な発音
- 読みづらくて引っかかる、噛んでしまう箇所
- 切り方によって意味が変わってしまう箇所

とくにどこで切るか、どこで息を吸うか（ブレスするか）は重要です。

たとえば、次の文を見てください。

「大きい黒い眼のかわいい女の子」

この文章は「どの箇所で切る、または息継ぎをするか」で文章の意味が変わってきます。

大きい／黒い眼のかわいい女の子　→体の大きな、黒い眼のかわいい女の子
大きい黒い眼の／かわいい女の子　→黒目の大きな、かわいい女の子
大きい黒い眼の／かわいい女の／子→大きい黒い眼の、かわいい女性の子ども

文章の意味を考えて、間違った情報にならないよう、切りどころを正確にしてから読む必要があります。

決して自分の呼吸のテンポ（リズム）で好きなように切ったり、息継ぎしたりしないように気をつけてください。

音読の秘訣 2 ★「強調したい部分」をチェックする

次は、「強調したい部分」をマークしていきます。

どんな文章でも「聞き手に絶対伝えたい大切な言葉や文章」と「もしも相手が聞き取れなかったとしても大丈夫な、重要度の低い言葉や文章」で構成されているものです。300文字の短い文章であっても、すべてを強調して力強く読み上げたのでは、聞き手は疲れてしまい、かえって伝わりません。

「強調したい部分」はエネルギーを高くしてしっかり強調し、「聞き流してもらってもいい部分」はエネルギーを落として、さらっと読むのがコツです。

そして、強調するコツと記号は、私の場合、次の6種類があります。

- □ 高く読む
- 〜 ゆっくり読む
- ‖ 強く読む
- く ポーズ（間をおく）
- □ 感情を込める
- ⤸ 読点があるが、区切りをつけずに続けて読む

強調するコツと記号❶ □高く読む▼「高めの声」を出す

「強調したい部分」は、少し高めの声にします。

高い声はエネルギーをもっているので、**言葉を際立たせる効果**があります。

でも、じつはこれ、みなさんが普通に会話するときにも使っているテクニックなのです。

「強調したい言葉」は、自然と音が高くなるもの。朗読の場合は、ただ高くするだけでなく、前後を少し低めにすることで、さらにその言葉を強調します。

さらにこのとき、**練習では「手の振り」をつけると、やりやすくなります。**

声を高くしたいときは手を上げ、低くしたいときは手を下げるなど、軽く手を上下して、音の高低をコントロールするのです。ぜひ試してみてくださいね。

強調するコツと記号❷ 〜ゆっくり読む▼「強調したい部分」をゆっくり読む

「強調したい部分」をゆっくり、はっきりと発音します。念を押すような感じです。

これによって聞き手は**「ここの部分が重要なのだな」**と認識します。

これも「ややゆっくり」と「かなりゆっくり」では違いがあり、「かなりゆっくり」

のほうが、強調度合いが高まります。

どのぐらい強調したいかによって「ゆっくり度」に強弱をつけるのもいいでしょう。

強調するコツと記号③　＝強く読む▼強く発音する

「強調したい部分」の音量を上げ、大きく、強く発音します。

これも「やや強く」なのか、「かなり強く」なのか、どのぐらい強調したいかによって調整します。「やや強く」より「かなり強く」のほうが、強調度合いは高くなります。

強調するコツと記号④　くポーズ（間をおく）▼軽く「ポーズ」（間）をとる

「強調したい部分」の直前に、一瞬「ポーズ」をとる（間をおく）テクニックです。一瞬の沈黙があると、聞き手は「何かな？　何か起こったのかな？」と注意を引かれます。それが**次の言葉や文章への期待感**となります。

このポーズも、どのぐらい時間をとるかによって強調の度合いが変わってきます。たとえば、短く一呼吸とるより、2～3秒とるほうが強調の度合いは強くなります。

「ここぞ」とばかり、最大級の注意を引きたい場面では、思いきってしっかりポーズをとってみましょう。ポーズをとるといっても、最初は勇気がいると思いますが、実際にやってみると、かなりの手ごたえが感じられるはずです。

強調するコツと記号⑤ □感情を込める▼「声色」をつける

「強調したい部分」に声色《こわいろ》をつけます。その部分だけ、気持ちをぐっと込めるのです。たとえば明るく楽しい場面なら「高い声」でニコニコしながら読み、暗く重い場面では「低い声」でトーンを抑えめに読みます。

強調するコツと記号⑥ ⤵読点があるが、区切りをつけずに続けて読む

また、読点（、）があっても、あえて続けて読んだほうが伝わりやすい場合は、「⤵」の記号を入れます。読点があるが、区切りをつけずに続けて読むようにするのです。

今回の朗読用原稿なら、私の場合は次のようになりました。

「師は無数に存在する」（ポーズ3秒）

手近に親切な指導者、先輩がいて、自分を導いてくれる、そういう人が会社にいる人は幸せだと思います。しかし見方によれば、指導者のいないところにこそ、みずからの発展というものが考えられる、ということも言えるのではないかと思います。（←具体例に入るので3秒ポーズ）

蓄音機や白熱電灯などを発明開発したあの偉大なエジソンには指導者がいなかったそうです。それでみずからあらゆる事物《じぶつ》に関心を持ち、そこに指導者を見出しました。汽車にのれば、石炭を焚く音や車輪の音に指導者を見出したわけです。（結論に入るのでポーズ3秒くらい）みずからを開拓する気持ちになれば、行く道は無限に開かれている、師は無数に存在していると思うのです。

この書き込みに合わせて音読していくのです。
記号は、これでなくても構いません。自分のわかりやすいものでいいと思います。

「プロミネンス」（大事な言葉や文章を強調する）の習慣をつけよう

ちなみに、この**「大事な言葉や文章を強調する」**ことを**「プロミネンス」**といいます。

少々乱暴な言い方をすれば、適切なプロミネンスを行い、大事な言葉や文章さえ相手に聞き取ってもらえれば（記憶に残れば）、言いたいことが正確に伝わり、理解してもらえるのです。

極端な話、それ以外は、ぼーっと聞き流してもらっても大丈夫なのです。

じつは英語を話すとき、このプロミネンスがオーバーなほどされています。

なので、英語のリスニング（聞き取り）では、強調されている単語

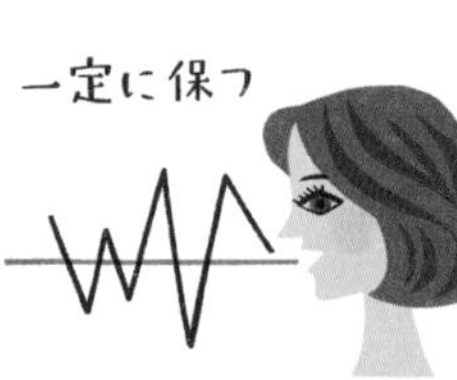

だけ聞き取れれば、だいたいの意味が理解できることが多いです。
しかし日本語はあまり抑揚をつけないで話すので、あらためてプロミネンスする習慣をつけると、言いたいことが正確に伝わりやすい話し方になります。

「プロミネンス」とは、いってみれば必要なものを**「拾う」作業**と、必要でないものを**「捨てる、流す」作業**です。

声に出して読みつつ、ボールペンで「強調したい箇所」に印をつけていきます。

「この作業は黙読で行ってもいいのでは？」と思うかもしれません。

しかし、黙読では難しいものです。実際に音に出さないとわからないことが多々あります。

私は「強調したい箇所」を□で囲むようにしており、例文でも□で囲んでいます。

ただしこれは、あくまで私の「強調したい部分」の印です。

これと同じである必要はなく、**みなさんなりの「強調したい部分」で結構**です。正解はありません。

ただイメージとして「強調したい部分の分量」はこのぐらいが適切だということを

チェックしておいてください。

あまり多いと聞いている人は疲れてしまいますし、少なすぎてもメリハリが足りず、全体がベタッとした感じになってしまいます。

そして、こうやって**「どこが重要なのか」「どこを強調したいのか」を考えて読むことで、より文章の理解が深まっていく**と思います。

音読の秘訣3 ★「抑揚」をつける

「音読の秘訣2」で「強調したい部分」をピックアップしたら、今度はその記号通りに声に出して読んでいきます。

それが「抑揚」です。**抑揚は「大事な言葉やセンテンスを強調すること」**なのです。

また、**抑揚は「メリハリをつけること」**でもあります。

私の知り合いのロックミュージシャンの方が、こんなことをおっしゃっていました。
「1曲の中で歌詞全部を全力で歌うのではなく、ポイントだけしっかり発音して音量を上げて歌うほうが、お客さんに伝わりやすい」
ロックというと、1曲まるごと力強く歌い上げるというイメージがあったのですが、歌を楽しんでもらうためには、声量にメリハリをつけているということでした。さすがプロ！
たしかにすべての歌詞をパワー全開の大声で歌ってしまうと、逆に一本調子になり、お客さんがその大声の刺激に慣れてきて飽きてしまうでしょう。

朗読もこれと同じだと思うのです。
すべての文を強調するよりもメリハリ（＝抑揚）をつけたほうが、相手を疲れさせません。なにより聞き手が理解しやすく、それどころか「もっとあなたの話を聞きた

い！」と思わせることができます。

抑揚をつけて読んでみると、最初はなんだかわざとらしくなってしまうかもしれません。

でも、**練習は「大げさ」なぐらいでいい**のです。

抑揚のスキルが身につくと、話し方にも自然と抑揚がつくようになり、相手に伝わりやすくなっていることを実感できるはずです。

音読の秘訣 4 ★スムーズな音読の肝になる「行替え」を行う

そしてもうひとつ、**音読ではとても大切な「行替え」**について説明しておきます。

この**行替え、アナウンサーやナレーターであれば、ほぼ全員が行っている**といってもいいほど大切です。

日本語では印刷の都合上、「ひとつの単語や文節」が、行の最後と次の行の頭に分かれてしまうことがありますよね。

たとえば、次の例をご覧ください。

他に与え、他を喜ばすことにより大きな喜びを感じ
る

「感じる」という単語が「感じ」と「る」に分かれてしまっています。

これは黙読するときは気にならないかもしれませんが、実際に音読してみると大違い。

視線が迷ってしまい、必ずといっていいほど「噛んで」しまうのです。

この**「視線の迷い」**は思った以上に難物。黙読をするとき、頭の中ではスムーズに読めてしまうので、気づきにくいのです。

これを避けるために行うのが**「行替え」**です。

この場合は次のように、「感じ」のあとに「る」を書き加え、「感じる」とし、次の行頭の「る」を消しておきます。

他に与え、他を喜ばすことにより大きな喜びを感じる（赤の文字で）
~~る~~（赤の二重線で消す）

そのあと、声に出して読んでみて、視線が迷ったり、読んでつまずかないことを確認します。

「より豊かに」「合言葉に」の「に」などの助詞が分かれている場合も、行替えを行ったほうがいいので、おすすめします。そのあと、声に出して読んでみて、視線が迷ったり、読んでつまずかないことを確認してみてください。

第5～6章で紹介する例文でもこの作業を行っているので、参照してみてくださいね。

音読の秘訣 5 ★「読み方のプラン」を立てる

音読の最終段階では、**「読み方のプラン」**を立てます。

いままでの項目を踏まえ、**全体を「どう読むか」を考えます**。

明るい内容であれば、明るくハキハキと、重い内容であればしっとりと重厚感を出すイメージで。

段落ごとに内容が切り替わっている場合は、トーンを変えることもあります。

たとえば、暗い話が続いたあとで、明るい話に切り替わるときは、グッとトーンを上げていきます。逆もあります。

いずれの場合も、**段落ごとにしっかり間をとることが大切**です。

トーン、間をおくといったこともメモしておくといいですね。

「読み方のプラン」を立てることで、**メリハリがついて、聞き手にとって非常に聞きやすく、引き込まれる朗読**ができます。

「プランを立てるなんて難しそうだ」

「国語力がないとできないのでは？」

と不安になる人もいるかもしれませんが、大丈夫です。

テストではないので「正解」はありません。

「何が間違っている」という話ではないので、**みなさんがやりやすいように、自由に考えてくださっていい**のです。

そして、これも続けるうちにコツがつかめてきて、メキメキ上達していきます。**その結果、「国語力」「読解力」がついてくる**のです。

とにかく、最初は気負わずにチャレンジしてみてくださいね。

魚住式朗読ステップ ③ 朗読

さあ、いよいよ朗読です！

「ステップ2　音読」で立てたプランにしたがって読んでいきますが、ここで用意していただきたいものがあります。

それは、**録音のできるデバイス（電子機器）**です。

スマホでも、ICレコーダーでも、何でもOKです。

それで、ぜひ自分の朗読を録音して聞いてみてください。

「え～、自分の声を聞くなんてイヤです」

「下手くそで、とても聞けたものではない」

録音をすすめると、みなさん、いっせいにこうおっしゃいます。

でも、そこをがんばってほしいのです。

なぜなら、**録音をすることが、朗読の上達のための最短ルート**だからです。これがいちばん早いのです。

というよりも、**「録音なくして上達なし」**といってもいいほど大切なことです。**上手な朗読のためには、自分の声を客観的に聞くことが欠かせない**のです。

たとえば、「ダイエットを始めよう！」と思い立ち、現在の自分の贅肉がたくさんついた裸を鏡で見るのは、恥ずかしいことかもしれません。でも毎日見ていると、余計な肉がそぎ落とされ、理想のプロポーションに近づいていくのがわかります。

また、体重計に乗って現実を把握したほうが、食事内容の見直しなど具体的な目標ができ、体重計で成果を見ることができます。

それと**同じことが、朗読にも起こる**のです。

★ 朗読を録音して、聞き返す

とにかく**朗読を録音して、聞き返す、この反復**です。

もちろん最初は「こんなに下手なのか」「ひどい声だ」などと思ってしまうかもしれません。

私だってそうでした。自分の朗読スキルにも声にも幻滅したものです。

でも、**続けていくうちに、自分がぐんぐん上達してくる**のがわかります。

そうなると、本当に朗読は楽しいものになってきます。

どうぞ、恐れずに**「録音→再生」**を続けてくださいね。

朗読用の原稿は、何がおすすめ？

朗読で使う原稿は、どのようなものがいいのでしょうか。

本書では１３８ページ以降、例としておすすめの朗読用の文章を挙げていますが、別にこれにこだわらなくても、好きな文章で結構です。

好きな小説や、お気に入りの作家のエッセイでもいいし、童話や新聞のコラムでもいいでしょう。

できれば名作といわれるもの、多くの人に読まれているものなど、「プロの文章」「世の中の評価が定まった文章」をおすすめします。

それは文章、構成がきちんとしているからです。

文章が上手でなかったり、構成ができていなかったりすると、朗読するのは難しくなります。また第1章で述べた「朗読のメリット」が得られません。

また、原稿は古典的な文章で書かれているものよりも、「現在の話し言葉」に近い文章をおすすめします。

内容も理解しやすいし、そのままスピーチやプレゼンなどの「話し方」に活かせるからです。

慣れるまでは、「話し言葉で書かれているもの」「誰でもわかりやすい内容」かつ「３００字くらい」にまとめられたものを選びましょう。

これを1分程度で読みます。

スピーチやプレゼンのときも、もし原稿をつくるなら「３００〜４００字で1分」を目安に作成してください。これは、聞いている人がいちばん理解しやすいスピードといわれています。

慣れてきたら、もっと長いものに取り組んでみてくださいね。

第4章

このテクニックで「話し方」と「印象」がいっきに変わる！

朗読のウラワザ、すべて教えます！

「プロ並みの読み方」は意外に簡単！

★ ちょっとしたコツで全然違う！　りえのとっておきのワザ

朗読を始めて、ある程度上達してくると、「もっとうまくなりたい！」という気持ちが生まれてきます。

同時に「ここが難しい」「ここが自分の弱点だな」などと、新たな壁にぶつかったりもします。

そこでこの章では**「ここにちょっと気をつけるだけで、ビックリするほど上手に聞こえる」という朗読のウラワザ**を集めてみました。

どれも簡単にできることばかりですが、その効果は抜群なので、ぜひ試してみてください。

りえのウラワザ！

1 意識して助詞を下げる

「この件に関してはぁ（↗）、再考の余地があると思うのですがぁ（↗）」

「そういうつもりはなかったのにぃ（↗）、思わぬ得をしたのでぇ（↗）」

話し方のクセで、「は」「に」「が」「を」「て（で）」など、助詞（の音）が上がってしまう人は、結構多いものです。

助詞を上げる話し方は、本人は気づかなくても、相手にいい印象を与えません。せっかくのいい話も価値が下がってしまいます。

これがクセになっている人は、朗読でも助詞を上げて読んでしまいがちです。

意識して助詞は下げるようにしましょう。

りえの耳寄りコラム▶

平井堅さん、平原綾香さんに学ぶ手の動作で、声の上げ下げをコントロールする方法

この助詞を下げるために、簡単にできるいい方法があります。

手の動作を使って声の上げ下げをコントロールするのです。

たとえば、歌手の平井堅さんや平原綾香さんは、歌うときにこれを使っています。「高い音」を出すときは手を上げて、「低い音」を出すときは手を下げるなど、

手の動きを非常に効果的に使っています。
どうしても助詞を上げるクセが抜けない人は、助詞のたびに、手を下げて読んでみてはいかがでしょうか。

りえのウラワザ！

2 同じ言葉や文章は、あえて強調しない

全部の言葉に抑揚をつける必要はなく、**「強調する部分」と「捨ててもいい部分」のメリハリが大切**と述べました。

「捨ててもいい部分やセンテンス」は慣れると見定めがつくようになりますが、一定のパターンもあります。たとえば同じ言葉や文章が繰り返される場合、くどくなるので、2回目以降は、1回目と同じように強調する必要はありません。

りえのウラワザ！

3 一音一音をはっきり丁寧に発音する

最初のうちはとくに、一音一音をはっきり、丁寧に発音するように心がけましょう。

「ありがとうございました。」ならば、

「あ、り、が、と、う、ご、ざ、い、ま、し、た。」

と、最後の「た」の音まで気を抜かずに、しっかり発音するのです。句点（。）まで感じる気持ちで発音すると、なおいいでしょう。少しゆっくりになっても大丈夫です。

一音一音、はっきり丁寧な音にして気持ちを込めると、相手に伝わる力が倍増します。

また、一音一音を確認しながら大事に読むことで、早口になってしまうのを防ぐこともできます。

「読んでいるうちに、ついつい早口になってしまう」という人は少なくないのですが、早口で読み上げてしまうと、内容が上滑りして相手には伝わりません。

「これではスローすぎるのでは？」というぐらいで、ちょうどいいのです。

りえのウラワザ！

4 「読点」どおりにしないパターンもある

文章には「読点（、）」がついていますが、音に出して読む場合、必ずしも読点どおりにしないほうがいい場合もあります。

毎回、読点で息継ぎをして間をあけてしまうと、文章が間延びしてしまい、相手に伝わらないことがあるのです。

その場合は、読点で文章を切っても息継ぎをせず、そのまま次のセンテンスに入ります。

ほんのちょっとの間ですが、**こういう細かいことが「聞きやすさ」「聞きにくさ」を左右する**ものです。

りえのウラワザ！

5 「ここぞ」というときは、あえて「ワンブレス」で

これはプロのスキルになりますが、**「ここぞ」というときに、息継ぎをせずに「ワン**

ブレス」で読み上げるのです。

これをやると、「粘りが出る」「迫力のある」話し方や読み方ができます。

プロの歌手もこのワザを使います。サビの部分などを「ワンブレス」で歌い上げると、ワッと盛り上がるし、カリスマ性が出ます。

「ワンブレス」が可能なのは、腹式呼吸あってこそです。

腹式呼吸はたくさん息が吸えるので、次の息継ぎまでの時間が稼げます。ですから、一呼吸でたくさんの言葉を話せる（読める）のです。

逆に、胸式呼吸だと、浅くしか息が吸えないため、すぐに苦しくなって息を吸い、少し話してまた息を吸う、の繰り返しになります。すると、朗読も「ぶつ切り」になってしまい、非常に聞きづらくなります。

ここぞというときのワンブレスができるように、朗読の基本「腹式呼吸」トレーニングをしっかり行ってくださいね。

りえのウラワザ！

6 体を安定させて、「自信」をみなぎらせる

朗読において体を安定させて行うのは、とても大事なことです。

視覚からの情報は、受け取る側の感情と連動してくるので（ノンバーバル・コミュニケーション）、**ゆらゆら体を動かしながら話すと「自信がないのかな？」など聞き手は不安になってしまいます**。

手のジェスチャーや、体の向きを左右前後の観客全員に伝えるために動かすことはありますが、それは自然な動きなのでＯＫです。**それ以外は、基本的に体は安定させ、動かしません**。

これも呼吸が関係します。

胸式呼吸で話すと、上半身がゆらゆらして、しっかり下半身で体を支えられなくなります。意味のない体の動きが出てきます。

これに対して**腹式呼吸で話す人は、下半身がどっしりとしてお腹で体を支えているので、意味のない動きは出てきません**。

腹式呼吸をして、しっかり体を安定させて読むように心がけてみてくださいね。

りえのウラワザ！

7 一文ごとに口を結ぶ

一文を読み終えるごとには、口を閉じることを意識してみるのもポイントです。

何でもないことのようですが、これをするとしないとでは大違いです。

まわりの誰かに、「半開きで終わるパターン」と「口をきちんと結ぶパターン」の2パターンで話してもらってみてください。

それを聞き比べてみると、違いがよくわかるはずです。

口を開けた状態で一文を読み終わると、だらしない感じで聞こえます。

その反面、**読み終わりできちんと口を閉じると、音だけでなく空気までスパッと切れて終わります**。

そして、見た目も口を閉じているほうが、上品で知的な印象をもたらします。

「口を閉じてまた開く」という動作によって、適度なポーズが生まれますから、次の文章が際立つという効果も生まれます。

りえのウラワザ！

8 口角を上げる

朗読を行うときは「口角を上げる」ことを意識しましょう。

口角を上げることによって、自然と感じのいい、やさしい雰囲気の声が出せます。

たとえば、口角を上げて「こんにちは」と発音してみてください。すると「こ、ん、に、ち、は」の一つひとつの音が、はっきりと発音できるはずです。

口角を上げることで口腔《こうくう》が緊張し、舌が少し上向きになるからです。

これが**聞き手にとっては明るく、聞き取りやすい印象**を与えます。

りえの耳寄りコラム▼

口角を上げて話すと、心地いい「３０００ヘルツ」の声になる

人が聞いて「いいな」「心地いいな」と思う声の周波数は「３０００ヘルツ」といわれますが、なんと**口角が上がった状態で話すと、自然と３０００ヘルツにな**

るのです。

アナウンサーの声、電車内アナウンス、新幹線内アナウンス、電話時報の声、電話で応対するオペレーターさんの声、これらはほぼ3000ヘルツです。

みなさん口角を上げて話しています。声も見た目も、印象がよくなりますよね。


りえのウラワザ！

9 のどを潤す

朗読をするときは「のど」を潤《うるお》して、いい状態に保っておくのも大事なことです。**のどを潤す飲み物として、最適なものは「水」**だと思います。

これは自分の経験から、水でのどを潤した直後がいちばんいい声が出るからです。

コーヒーやお茶類は、カフェインが体から水分を排出する作用があるので、のども乾燥します。のどや声がガラガラになってしまうので、読んだり話したりする前は、私は飲みません。**カフェインが含まれていない飲み物をおすすめします**。

どうしてもコーヒーや紅茶を飲みたい場合は、ミルクを入れて飲むのがおすすめです。

ミルクの脂肪分がのどを保護してくれるからです。

第5章

いざ、朗読してみよう!

【朗読の実践編1】まずは名文・名作を読んでみよう!

★ 魚住式朗読に「古典」を使わない理由

さあ、いよいよ朗読の実践です！

この章では、朗読用の文章を紹介していきます。

松下幸之助の名言から、芥川龍之介、三島由紀夫の小説、戦後最大のベストセラーである黒柳徹子の『窓ぎわのトットちゃん』、向田邦子の不朽の名作『父の詫び状』など、幅広いジャンルからピックアップしました。

どれも初心者にも読みやすい文章で、なおかつ基本的におよそ1分程度で読み切ることができるようなものを中心に選んでいます。

また紹介するのは現代文を中心に選んでいます。

前述のように、明治や昭和初期の言葉づかいは、現代の話し言葉とかけ離れているので、練習文として適切でないと思うからです。

「話すように読む、読むように話す」

朗読の最終目標はこれだと思っています。話し言葉に近い文章で朗読練習を積むことで、この域に達することができるはずです！

★常に頭に入れておきたい！　朗読の「5つの基本」

朗読をするときは、次に紹介する**「5つの基本」**を常に忘れないようにしましょう。

どれもこれまで解説してきたことのおさらいで、基本的なことばかりですが、この基本こそが大事。私も朗読をするときは、常にこの「5つの基本」を忘れないよう、肝に銘じています。

（朗読の基本 1）★お腹に力を入れる

文章を読むときは、**お腹にぐっと力を入れ、空気を押し出しながら声を出します**。

自分のお腹を「空気を押し出すアコーディオンの蛇腹」のようにイメージすると、や

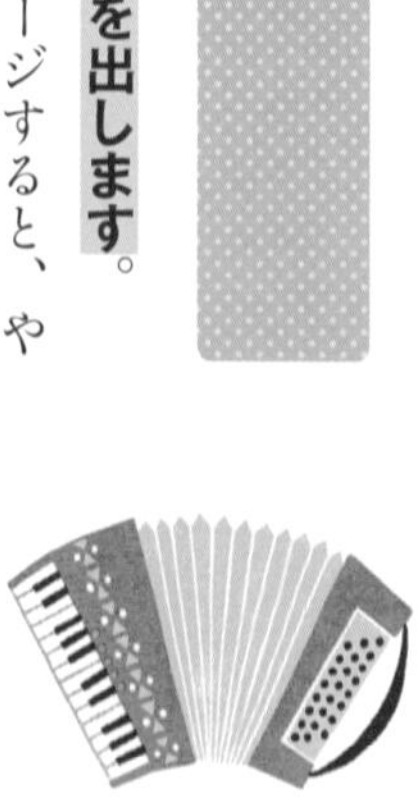

りやすいです。

朗読の基本 2 ★声量を大きく保つ

声量は、なるべく普段より大きいままでキープします。

大声を出す必要はありません。しかし、一定の声量は必要です。

「声を張って！」などと言いますが、まさにその感じで、聞き取りやすい、はっきりとした発声を心がけましょう。

「最初は声量が大きくても、あとになると、だんだん小さくなってしまう」というパターンも非常に多いので、注意してくださいね。

朗読の基本 3 ★言葉に集中する

集中することはとても大切です。

集中していないと、読み間違え、言い間違えが多発してしまい、相手に内容が正確に伝わりません。

とにかく目の前の言葉に「無心」で集中するようにします。

朗読の基本 4 ★ハキハキ読む

口をしっかり開けて、一つひとつの言葉を明瞭に発音しましょう。

というのも、最初は口をしっかり開けて音を出すことができない人が大半です。

まずは**意識して口を大きく開ける**ことが大切。少し大げさになるぐらいでやってみてください。

朗読の基本 5 ★スピードは一定に保つ

実際の朗読では緩急をつけることも必要となってきますが、ウォーミングアップの段

階では**スピードを一定に保つ**ようにしてください。

　これは、腹式で呼吸をしながら読みつづける訓練をするためです。

　全体を同じスピードで読めるようにするには、吸った息を、一定のスピードと量を使いながら、発声する必要があります。

　吸うときは口で吸います。息を吸って膨らませたお腹を、少しずつ息を使ってゆっくりと凹ませていってください。

★ 例文に「書き込みマーク」を入れて、さあ、朗読スタート！

　このあと紹介する例文には、何も印をつけないそのままの「原文」と、朗読用に書き込みをした「りえのチェック済」の両方を交互に掲載しています。

　自分で「書き込みマーク」を入れてみて、私のチェック済みページと比べてみてください。

　もちろん、強調したいところなどはみなさんの感性によって違いますから、正解があるわけではありません。でも、どんな読み方が聴いている人にとって「心地良く感じ、

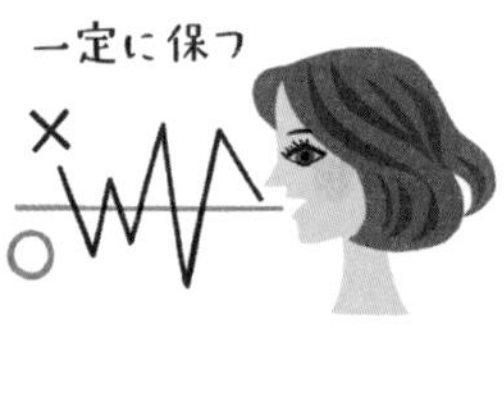

心に響く」のか、参考にしていただければ、と思います。

ここでもう一度、101ページで紹介した書き込み記号をおさらいしておきましょう。これはあくまで私が普段使っている記号ですので、みなさんがわかりやすいものに変えていただいてもいいと思います。

□ 高く読む
〜 ゆっくり読む
‖ 強く読む
く ポーズ（間をおく）
□ 感情を込める
⤸ 読点があるが、区切りをつけずに続けて読む

では、始めましょう！

★名作・名文の朗読見本は、
私のYouTubeチャンネル内で視聴できます。

YouTube
「魚住りえ 話し方＆聞く力の
コミュニケーション講座」

まず与えよう

（『松下幸之助「一日一話」』より）

持ちつ持たれつという言葉もあるが、この世の中は、お互いに与え合い、与えられ合うことによって成り立っている。それはお金とか品物といった物質的な面もあれば、思いやりといったような心の面もある。

聖書の中にも、「与《あた》うるは受《う》くるより幸《さいわ》いなり」という言葉があるというが、人間とは他《た》からもらうことも嬉しいが、他《た》に与え、他《た》を喜ばすことにより大きな喜びを感じるというところがあると思う。そういう喜びをみずから味わ

■松下幸之助（1894–1989）
和歌山県生まれ。パナソニック（旧松下電器産業）グループ創業者、PHP研究所創設者。21世紀を担う指導者の育成を目的に「松下政経塾」を設立。卒塾生は、政治家、企業経営者、社会起業家、教育者、研究者など、各界で活躍している。著書も多数あるが、『道をひらく』はロングセラーとして今もなお多くの人たちに読み継がれている。

●『松下幸之助「一日一話」』まず与えよう／人間はダイヤモンドの原石／天は一物を与える
松下幸之助が生前語った英知と洞察にあふれる言葉を「一日一話」のかたちにまとめた366の語録集。人生、仕事、経営、社会などジャンルは多岐にわたる。1999年刊行。その後、愛蔵版なども出版されている。

いつつ、しかも自分を含めた社会全体をより豊かにしていくことができるのである。

「まず与えよう」。これをお互いの合言葉にしたいと思うのだが、どうであろうか。

まず＜与えよう＜

（これから本文に入る、あるいはタイトルであると
わからせるため3秒ポーズをとる）

持ちつ持たれつという言葉もあるが、この世の中は、お
お互いに与え合い、与えられ合うことによって成り立っている。
る。それは＜お金とか品物といった＜物質的な面もあれば、思
思いやりといったような心の面もある。

（ここで段落が変わるので、2秒ポーズをとる）

聖書の中にも、＜「与《あた》うるは受《う》くるより幸《さいわ》いなり」という
という言葉があるというが、人間とは＜他《た》からもらうことも嬉しいが、
が、他《た》に与え、他《た》を喜ばすことにより大きな喜びを感じる
というところがあると思う。そういう喜びをみずから味わ

□ 高く読む
〜 ゆっくり読む
‖ 強く読む
く ポーズ（間をおく）
□ 感情を込める
♪ 読点があるが、区切りをつけずに続けて読む

りえの朗読ポイント

〜〜の部分は、かなり意識してスピードをゆっくりにしてみてください。
自分が思う以上にスピードの強弱はついていないものです。

味わいつつ、しかも自分を含めた社会全体を**より豊かに**していく

ことができるのである。

（最も言いたいこと、タイトルを繰り返すので、より強調したい。3秒ポーズをとる）

「まず与えよう」。これをお互いの**合言葉に**したいと思うのだが、

のだが、**どうであろうか**。

りえの朗読ポイント

「思いやり」はやさしく、「大きな喜び」「より豊かに」は明るく広がっていくようなイメージで読んでみると、ぐんとイメージが変わりますよ。

人間はダイヤモンドの原石

（『松下幸之助「一日一話」』より）

私は、お互い人間はダイヤモンドの原石のごときものだと考えている。

ダイヤモンドの原石は磨くことによって光を放つ。しかもそれは、磨き方いかん、カットの仕方いかんで、さまざまに異なる、さん然とした輝きを放つのである。同様に人間は誰もが、磨けばそれぞれに光る、さまざまなすばらしい素質を持っている。だから、人を育て、活《い》かすにあたっても、まずそういう人間の本質というものをよく認識し、それぞれの人が持っているすぐれた素質が活きるような配慮をしていく、それがやはり基本ではないか。もしそういう認識がなければ、いくらよき人材があっても、その人を活かすことはむずかしいと思う。

人間はダイヤモンドの原石

（ポーズ3秒）

私は、お互い人間はダイヤモンドの原石のごときものだと
と考えている。
ダイヤモンドの原石は磨くことによって光を放つ。しかも
もそれは、磨き方いかん、カットの仕方いかんで、さまざまに
まに異なる、さん然とした輝きを放つのである。同様に人
人間は誰もが、磨けばそれぞれに光る、さまざまなすばらしい
い素質を持っている。だから、人を育て、活かすにあたっても、
ても、まずそういう人間の本質というものをよく認識し、

□ 高く読む
〜 ゆっくり読む
‖ 強く読む
く ポーズ（間をおく）
□ 感情を込める
♪ 読点があるが、区切りをつけずに続けて読む

それぞれの人が持っている**すぐれた**素質が活きるような配慮をしていく、それがやはり**基本**ではないか。もしそういう認識がなければ、**いくらよき人材があっても**、その人を活かすことは**むずかしい**と思う。

りえの朗読ポイント

「ダイヤモンド」「磨く」「さん然とした輝き」など、
キラキラと輝く様子を思い浮かべながら、読んでみてくださいね。

天は一物を与える

(『松下幸之助「一日一話」』より)

この世に百パーセントの不幸というものはない。五十パーセントの不幸はあるけれども、半面そこに五十パーセントの幸せがあるわけだ。人間はそれに気がつかなければいけない。とかく人間の感情というものは、うまくいけば有頂天になるが、悪くなったら悲観する。これは人間の一つの弱い面だが、それをなるべく少なくして、いつの場合でもたんたんとやる。信念を持っていつも希望を失わないでやることだ。

「天は二物を与えず」と言うが、逆に「なるほど、天は二物を与えないが、しかし一物は与えてくれる」ということが言えると思う。その与えられた一つのものを、大事にして育て上げることである。

天は一物を与える

く（ポーズ3秒）

この世にく**百パーセントの不幸**というものは**ない**。五十パーセントの不幸はあるけれども、半面そこにく**五十パーセントの**~~ントの~~**幸せが**あるわけだ。人間はそれに**気がつかなければいけない**。く（ポーズ2秒）とかく人間の感情というものは、うまくいけば**有頂天に**なるが、悪くなったら**悲観する**。これは人間の~~一~~一つの**弱い**面だが、それをなるべく少なくして、いつの場合でも~~でも~~**たんたんとやる**。く（ポーズ2秒）信念を持っていつもく**希望を失わないで**~~で~~やることだ。

りえの朗読ポイント

冒頭の一文のないは、
力強くしっかりと発音しましょう。

□ 高く読む
～ ゆっくり読む
‖ 強く読む
く ポーズ（間をおく）
□ 感情を込める
♪ 読点があるが、区切りをつけずに続けて読む

「天は二物を与えず」と言うが、逆に「（ポーズ1秒［セリフになるので区別したい］）**なるほど**、天は二物を与えないが、しかし**一物は与えてくれる**」ということが言えると思う。その与えられた**一つのものを**、**大事にして**育て上げることである。

りえの朗読ポイント

「幸せ↔不幸」「有頂天↔悲観」は、
声に明暗をつけると、聴き手の印象がぐんと変わりますよ。

寺田寅彦『柿の種』

数年前の早春に、神田の花屋で、ヒアシンスの球根を一つと、チューリップのを五つ六つと買って来て、中庭の小さな花壇に植え付けた。

いずれもみごとな花が咲いた。

ことにチューリップは勢いよく生長して、色さまざまの大きな花を着けた。

ヒアシンスは、そのそばにむしろさびしくひとり咲いていた。

■寺田寅彦（1878-1935）
東京生まれ。物理学者、随筆家、俳人。「X線の結晶透過」（ラウエ斑点の実験）により帝国学士院恩賜賞を受賞する活躍をする一方で、文学などにも造詣が深く、科学と文学を調和させた随筆を多く残した。夏目漱石の門下生でもあり、「吉村冬彦」の筆名でも作品を発表している。

●『柿の種』
寺田寅彦ならではの深い余韻を残す文章が胸に響く。俳句雑誌『渋柿』に連載された。初の刊行は1933年。

★（あらすじ）同時に購入したヒアシンスとチューリップの球根。チューリップは見事に咲いたが、ヒアシンスは寂しさを漂わせていた。しかし一度植えたチューリップとヒアシンスの姿は、年々大きく変わっていくのだった。

その後別に手入れもせず、冬が来ても掘り上げる※だけの世話もせずに、打ち棄ててあるが、それでも春が来ると、忘れずに芽を出して、まだ雑草も生え出ぬ黒い土の上にあざやかな緑色の焔を燃え立たせる。始めに勢いのよかったチューリップは、年々に萎縮《いしゅく》してしまって、今年はもうほんの申し訳のような葉を出している。

つぼみのあるのもすくないらしい。

これに反して、始めにただ一本であったヒアシンスは、次第に数を増し、それがみんな元気よく生え立って、サ

※掘り上げる
球根を土中から取り出して保存すること

ファヤ※で造ったような花を鈴なりに咲かせている。

そうして小さな花壇をわが物のように占領している。

この二つの花の盛衰はわれわれにいろいろな事を考えさせる。

※サファヤ＝サファイア
青玉

朗読用原稿4（りえのチェック済）

寺田寅彦『柿の種』

数年前の早春に、神田の花屋で、**ヒアシンスの球根を一つと**、

つと、**チューリップのを五つ六つと**買って来て、中庭の**小**

小さな花壇に植え付けた。

く（ポーズ2秒【咲くまでの時間経過を感じさせる】）

いずれも**みごとな花が**く咲いた。

ことに**チューリップは**勢いよく生長して、**色さまざまの**

大きな花を着けた。

ヒアシンスは、そのそばにくむしろ**さびしく**く**ひとり**咲いていた。

く（ポーズ2秒【時間経過】）

いた。

□ 高く読む
〜 ゆっくり読む
‖ 強く読む
く ポーズ（間をおく）
□ 感情を込める
⌒ 読点があるが、区切りをつけずに続けて読む

その後別に手入れもせず、**冬が**来ても掘り上げるだけの世話もせずに、打ち棄ててあるが、それでも**春が**来ると、忘れずに芽を出して、まだ雑草も生え出ぬ黒い土の上に**あざやかな緑色の焔を燃え立たせる**。（ポーズ2秒）

始めに勢いのよかったチューリップは、年々に萎縮《いしゅく》してしまって、今年はもうほんの申し訳のような葉を出している。~~ね。~~

つぼみのあるのもすくないらしい。

これに反して、始めに**ただ一本であったヒアシンスは**、次第に**数を増し**、それがみんな**元気よく**生え立って、**せ**

りえの朗読ポイント

「黒い土の上にあざやかな緑色の焔」の部分は、色のコントラストとともに「静」と「動」のコントラストも感じさせるように気をつけてみてくださいね。

サファヤで造ったような花を鈴なりに咲かせている。

そうして小さな花壇をわが物のように占領している。

（ポーズ2秒［結論へ］）

この二つの花の盛衰はわれわれにいろいろな事を考えさせる。

せる。

りえの朗読ポイント

「ポーズ」は強調、場面転換のときに使うだけでなく、
時間の経過を表現したいときにも使います。
プロの技のひとつです！

三島由紀夫『葉隠入門』

若い時代の心の伴侶《はんりょ》としては、友だちと書物とがある。しかし、友だちは生き身のからだを持っていて、たえず変わっていく。ある一時期の感激も時とともにさめ、また別の友だちと、また別の感激が生まれてくる。書物もある意味ではそのようなものである。少年期の一時期に強烈な印象を受け、影響を受けた本も、何年かあとに読んでみると、感興※は色あせ、あたかも死骸のように見える場合もないではない。しかし、友だちと書物との一番の差は、友だ

■三島由紀夫（１９２５－１９７０）
東京生まれ。東大法学部を卒業後、大蔵省に勤務。９カ月で退職し、執筆生活に入る。『潮騒』『金閣寺』『サド侯爵夫人』などで多くの文学賞を受賞。その後も作家として活躍するも、『豊饒の海』を執筆後、自衛隊市ヶ谷駐屯地で自決。現在は「ミシマ文学」として全世界で翻訳され、愛読されている。

●『葉隠入門』
三島由紀夫が心酔した「葉隠」の闊達な武士道精神を説いた作品。彼にとって人生論・道徳書であり、自身の文学的思想的自伝ともいえる。１９６７年出版。

★（あらすじ）心の伴侶として取り上げた「友だち」と「書物」。友だちは生身の体なのでたえず変化をしている。しかし、書物には、友だちとは決定的な違いがあるのだった。

ち自身は変わるが書物自体は変わらないということである。それはたとえ本棚の一隅に見捨てられても、それ自身の生命と思想を埃《ほこり》だらけになって、がんこに守っている。われわれはそれに近づくか、遠ざかるか、自分の態度決定によってその書物を変化させていくことができるだけである。

※感興　何らかの事物に対して興味をもつこと

三島由紀夫『葉隠入門』

若い時代の心の伴侶《はんりょ》としては、友だちと書物とがある。
しかし、友だちは生き身のからだを持っていて、たえず変
わっていく。ある一時期の感激も時とともにさめ、また別
の友だちと、また別の感激が生まれてくる。く（ポーズ2秒）書物もある意味では
~~味では~~そのようなものである。少年期の一時期に強烈な印象を
~~象を~~受け、影響を受けた本も、く何年かあとに読んでみると、
~~とは、~~感興は色あせ、あたかも死骸のように見える場合もな
ないではない。しかし、友だちと書物との一番の差は、友だち

□ 高く読む
～ ゆっくり読む
‖ 強く読む
く ポーズ（間をおく）
□ 感情を込める
⤵ 読点があるが、区切りをつけずに続けて読む

れ自身は変わるが**書物自体は変わらない**ということである。

る。それはたとえ本棚の一隅に見捨てられても、それ自身の**生命と思想を埃《ほこり》だらけになって、がんこに守っている。**

われわれはそれに近づくか、遠ざかるか、**自分の態度決定によって**

によってその書物を変化させていくことができる**だけである。**

る。

りえの朗読ポイント

三島由紀夫は朗読するには難解な作品が多いのですが、『葉隠入門』は読みやすいですよね。全体は理知的なトーンで。□の部分は気持ちをしっかり込めて、メリハリをつけましょう。

芥川龍之介『蜘蛛の糸』①

　ある日の事でございます。御釈迦様《おしゃかさま》は極楽の蓮池《はすいけ》のふちを、独りでぶらぶら御歩きになっていらっしゃいました。池の中に咲いている蓮《はす》の花は、みんな玉のようにまっ白で、そのまん中にある金色《きんいろ》の蕊《ずい》※からは、何とも云えない好《よ》い匂《におい》が、絶間《たえま》なくあたりへ溢《あふ》れて居ります。極楽は丁度朝なのでございましょう。

　やがて御釈迦様はその池のふちに御佇《おたたず》みになって、水の面《おもて》を蔽《おお》っている蓮の葉の間から、ふと下の容子《ようす》※を御覧にな

■芥川龍之介（1892–1927）　東京生まれ。東京帝国大学英文科在学中から創作を始め、短編『鼻』が夏目漱石の激賞を受ける。その後は『羅生門』『芋粥』『藪の中』などを発表。西欧の短編小説の手法なども駆使し、東西の文献資料に材を仰ぎながら、自身の主題を見事に小説化した傑作を多数発表。没後の遺稿に『歯車』『或阿呆の一生』などがある。

●『蜘蛛の糸』　芥川龍之介の代表作のひとつ。１９１８年児童向け雑誌『赤い鳥』に掲載。のちに単行本『傀儡師』に収録された。現在でも映画やアニメ、バレエ作品、ゲームなど、さまざまな表現方法で伝え広められている不朽の名作。

★（あらすじ）ある日釈迦が極楽の蓮池のほとりから、はるか下の地獄で犍陀多（かんだた）と

りました。この極楽の蓮池の下は、丁度地獄《じごく》の底に当って居りますから、水晶《すいしょう》のような水を透き徹して、三途《さんず》の河や針の山の景色が、丁度覗《のぞ》き眼鏡《めがね》※を見るように、はっきりと見えるのでございます。

いう男が血の池でもがいているのを見つける。犍陀多は生前多くの凶悪な罪を犯していたが、一度だけ蜘蛛の命を助けたことがあった。釈迦は犍陀多を救い出すため、地獄に向かって蜘蛛の糸を垂らしたが……。

※蕊
花のおしべ、またはめしべの部分

※容子＝様子

※覗き眼鏡
箱の底にレンズをはめこんで、水中を見ることができるようにしたもの

芥川龍之介『蜘蛛の糸』①

ある日の事でございます。く御釈迦様《おしゃかさま》は極楽の蓮池《はすいけ》のふちを、
を、独りでぶらぶら御歩きになっていらっしゃいました。
池の中に咲いている蓮《はす》の花は、みんな玉のようにまっ白で、
で、そのまん中にある金色《きんいろ》の蕊《ずい》からは、何とも云えない好《よ》
好《よ》い匂《におい》が、絶間《たえま》なくあたりへ溢《あふ》れて居ります。く極楽は丁度朝
朝なのでございましょう。く（時間の経過を表す間）

やがて御釈迦様はその池のふちに御佇《おたたず》みになって、水の
水の面《おもて》を蔽《おお》っている蓮の葉の間から、♪ふと下の容子《ようす》を御覧にな

□ 高く読む
〜 ゆっくり読む
‖ 強く読む
く ポーズ（間をおく）
□ 感情を込める
♪ 読点があるが、区切りをつけずに続けて読む

なりました。この極楽の蓮池の下は、丁度**地獄**《じごく》の底に当って居りますから、**水晶**《すいしょう》のような水を**透き徹して**、**三途**《さんず》**の河**や**針の山**の景色が、丁度**覗**《のぞ》**き眼鏡**《めがね》を見るように、**はっきりと**見えるのでございます。

りえの朗読ポイント

声に出して読むと、あらためて名文とわかる芥川龍之介の作品の数々。その中で『蜘蛛の糸』は、最も朗読向きの作品です。

これは御釈迦様のシーンなので、全体をやさしく明るいトーンで朗読してみてくださいね。

芥川龍之介『蜘蛛の糸』②

するとその地獄の底に、犍陀多《かんだた》と云う男が一人、ほかの罪人と一しょに蠢《うごめ》いている姿が、御眼に止まりました。この犍陀多と云う男は、人を殺したり家に火をつけたり、いろいろ悪事を働いた大泥坊※でございますが、それでもたった一つ、善い事を致した覚えがございます。と申しますのは、ある時この男が深い林の中を通りますと、小さな蜘蛛《くも》が一匹、路ばたを這《は》って行くのが見えました。そこで犍陀多は早速足を挙げて、踏み殺そうと致しましたが、「いや、

※大泥坊＝大泥棒

いや、これも小さいながら、命のあるものに違いない。その命を無暗《むやみ》にとると云う事は、いくら何でも可哀そうだ。」と、こう急に思い返して、とうとうその蜘蛛を殺さずに助けてやったからでございます。

御釈迦様は地獄の容子を御覧になりながら、この犍陀多には蜘蛛を助けた事があるのを御思い出しになりました。そうしてそれだけの善い事をした報《むくい》には、出来るなら、この男を地獄から救い出してやろうと御考えになりました。

芥川龍之介『蜘蛛の糸』②

するとその**地獄の底**に、**犍陀多**《かんだた》と云う男が一人、ほかの罪人と一しょに蠢《うごめ》いている姿が、御眼に止まりました。この犍陀多と云う男は、**人を殺したり家に火をつけたり**、いろいろ悪事を働いた**大泥坊**でございますが、それでもたった一つ、**善い事**を致した覚えがございます。と申しますのは、ある時この男が深い林の中を通りますと、小さな**蜘蛛**《くも》が一匹、路ばたを這《は》って行くのが見えました。そこで犍陀多は多は早速足を挙げて、踏み殺そうと致しましたが、「いや、

- □ 高く読む
- ～ ゆっくり読む
- ‖ 強く読む
- く ポーズ（間をおく）
- □ 感情を込める
- ⤵ 読点があるが、区切りをつけずに続けて読む

いや、これも小さいながら、命のあるものに違いない。その命を無暗《むやみ》にとると云う事は、いくら何でも可哀そうだ。」と、こう急に思い返して、とうとうその蜘蛛を**殺さずに助助けてやった**からでございます。

御釈迦様は地獄の容子を御覧になりながら、この犍陀多には**蜘蛛を助けた**事があるのを御思い出しになりました。そうしてそれだけの**善い事**をした報《むくい》には、出来るなら、この男を地獄から**救い出してやろう**と御考えになりました。

りえの朗読ポイント

大泥棒・犍陀多の話です。
①とは対照的に低く、強いトーンで朗読し、メリハリをつけましょう。

島崎藤村『千曲川のスケッチ』「収穫」

南の空には青光りのある星一つあらわれた。すこし離れて、また一つあらわれた。この二つの星の姿が紫色な暮《くれ》の空にちらちらと光りを見せた。西の空はと見ると、山の端《は》※は黄色に光り、急に焦茶色《こげちゃいろ》と変り、沈んだ日の反射も最後の輝きを野面《のら》に投げた。働いている三人の女の頬冠り、曲《こご》めた腰、皆な一時に光った。男の子の鼻の先まで光った。最早稲田《もはやいなだ》も灰色、野も暗い灰色に包まれ、八幡の杜《もり》のこんもりとした欅《けやき》の梢《こずえ》も暗い茶褐色に隠れてしまった。

■島崎藤村（1872–1943）
筑摩県馬籠村（現・岐阜県中津川市）生まれ。明治学院卒業後、北村透谷らと『文学界』を創刊する。7年の歳月をかけて完成させた最初の長編『破戒』では夏目漱石らの激賞を受け、「自然主義文学の旗手」として注目される。以降、『家』『新生』『夜明け前』など、多くの作品を発表した。

●『千曲川のスケッチ』
著者が長野県の小諸に住んでいたときの自然の美しさ、地元の人とのふれあいなどを、「絵画をスケッチ」したかのように美しく描写した「写生文」。1912年出版。

★（あらすじ）陽が落ち始め、空には星が見え始める。沈んでいく陽の反射が田や畑で一生懸命働く人たちを美しく輝かせる。やがて町にあかりが灯り……。

町の彼方《かなた》にはチラチラ燈火《あかり》が点《つ》き始めた。岡つづきの山の裾《すそ》にも点いた。

父の農夫は引返して来て復《ま》た一俵負《しょ》って行った。三人の女や男の子は急ぎ働いた。

「暗くなって、いけねえナア」と母の子をいたわる声がした。

「箒《ほうき》探しな――箒――」

と復《ま》た母に言われて、子はうろうろと田の中を探し歩いた。

※山の端
山の稜線のこと

島崎藤村『千曲川のスケッチ』「収穫」

南の空には**青光りのある星**一つあらわれた。すこし離れて、~~て、~~また一つあらわれた。この二つの星の姿が**紫色な暮《くれ》の空**に~~**空**は~~ちらちらと光りを見せた。（視点が変わる間をとる）**西の空**はと見ると、山の端《は》は~~は~~**黄色**に光り、急に**焦茶色**《こげちゃいろ》と変り、沈んだ日の反射も~~**最後**~~**最後の輝き**を野面《のら》に投げた。働いている三人の女の**頬冠り**、~~**曲**~~《こご》**曲**《こご》**めた腰**、皆な一時に光った。男の子の鼻の先まで光った。最早稲田《もはやいなだ》も**灰色**、野も暗い灰色に包まれ、八幡の杜《もり》の~~こん~~こんもりとした欅《けやき》の梢《こずえ》も**暗い茶褐色**に隠れてしまった。

□ 高く読む
〜 ゆっくり読む
‖ 強く読む
く ポーズ（間をおく）
□ 感情を込める
⤵ 読点があるが、区切りをつけずに続けて読む

町の彼方《かなた》には**チラチラ燈火《あかり》**が点《つ》き始めた。岡つづきの山

山の裾《すそ》にも点いた。

父の農夫は引返して来て復《ま》た一俵負《しょ》って行った。三人の

女や男の子は急ぎ働いた。

「暗くなって、いけねえナア」と**母**の子を**いたわる**声がした。

した。

「箒《ほうき》探しな――箒――」

と復《ま》た母に言われて、子はうろうろと田の中を探し歩いた。

た。

りえの朗読ポイント

「青」「紫色」「黄色」「焦茶色」「灰色」「茶褐色」6種類の色が出てきます。それぞれの色のイメージを膨らませて、声色をつけてみてください。タイトルどおり、声で「スケッチ」する感じです。実際にこのシーンの画を描いて朗読すると、レベルがぐんと上がりますよ。

黒柳徹子『窓ぎわのトットちゃん』①

つい先週《せんしゅう》のことだった。ママはトットちゃんの担任《たんにん》の先生に呼ばれて、はっきり、こういわれた。

「おたくのお嬢《じょう》さんがいると、クラス中《じゅう》の迷惑《めいわく》になります。よその学校にお連《つ》れください！」

若くて美しい女の先生は、ため息をつきながら、くり返した。

「本当に困《こま》ってるんです！」

ママはびっくりした。（一体《いったい》、どんなことを……。クラ

■黒柳徹子
　東京・乃木坂生まれ。NHK専属のテレビ女優第1号として活躍。また、多くのアメリカのテレビ番組にも出演し、『ニューズウィーク』などの海外メディアではしばしば日本を代表する女性として紹介される。著作『窓ぎわのトットちゃん』は世界35カ国で翻訳され、国内累計800万部という発行部数は、「戦後最大のベストセラー」となった。現在も女優として舞台に立ちつづけるほか、ユニセフ（国連児童基金）親善大使、日本パンダ保護協会名誉会長などとしても活躍。文化功労者。

●『窓ぎわのトットちゃん』
　アイデアいっぱいの学園と新しい仲間たちのなかでのびのびと過ごすトットちゃんがユーモアたっぷりに描かれた、著者の自伝的ノンフィクション。1981年出版。第5回路傍の石文学賞受賞。

ス中の迷惑になる、どんなことを、あの子がするんだろうか……）

先生は、カールしたまつ毛をパチパチさせ、パーマのかかった短い内巻《うちまき》の毛を手でなでながら説明にとりかかった。

「まず、授業中《じゅぎょうちゅう》に、机のフタを、百ぺんくらい、開《あ》けたり閉《し》めたりするんです。そこで私が、『用事がないのに、開けたり閉めたりしてはいけません』と申しますと、おたくのお嬢さんは、ノートから、筆箱《ふでばこ》、教科書、全部を机の中にしまってしまって、ひとつひとつ取り出すんです。

（後略）」

★（あらすじ）主人公トットちゃんは、その奇抜な行動から小学校1年生で退学になってしまう。次の学校を探しているうちにトモエ学園の小林先生と出会い、トットちゃんの新しい学校生活が始まった。

黒柳徹子『窓ぎわのトットちゃん』①

つい先週《せんしゅう》のことだった。ママはトットちゃんの担任《たんにん》の先生に

生に呼ばれて、**はっきり**、こういわれた。

「おたくのお嬢《じょう》さんがいると、クラス中《じゅう》の迷惑《めいわく》になります。

す。**よその**学校にお連《つ》れください！」

若くて美しい女の先生は、ため息をつきながら、くり返した。

した。

「本当に困《こま》ってるんです！」

ママは**びっくりした**。（一体《いったい》、どんなことを……。クラ

□ 高く読む
〜 ゆっくり読む
‖ 強く読む
く ポーズ（間をおく）
□ 感情を込める
⤸ 読点があるが、区切りをつけずに続けて読む

クラス中の迷惑になる、**どんなこと**を、あの子がするんだろうか

か……）

先生は、カールしたまつ毛をパチパチさせ、パーマのか

かかった短い内巻《うちまき》の毛を手でなでながら説明にとりかかった。

「まず、授業中《じゅぎょうちゅう》に、机の**フタ**を、**百ぺんくらい**、**開《あ》けたり**

り閉《し》めたりするんです。そこで私が、『用事がないのに、

開けたり閉めたりしてはいけません』と申しますと、**おた**くの

くのお嬢さんは、ノートから、筆箱《ふでばこ》、教科書、全部を机の中に

中にしまってしまって、**ひとつひとつ取り出すんです**。

（後略）」

りえの朗読ポイント

セリフが多い作品です。
先生やトットちゃんになりきって朗読してみてください。
ドラマの台本を読んでいるようで面白いと思いますよ。

黒柳徹子『窓ぎわのトットちゃん』②

先生の話を、まとめてみると、こういうことになるらしかった。

一時間目に、机のパタパタを、かなりやると、それ以後《いご》は、机を離《はな》れて、窓のところに立って外を見ている。そこで、静かにしていてくれるのなら、立っててもいい、と先生が思った矢先《やさき》に突然《とつぜん》、トットちゃんは、大きい声で、「チンドン屋さーん」と外にむかって叫んだ。だいたい、この教室の窓というのが、トットちゃんにとっては幸福なことに、先生にとっては不幸なことに、一階にあり、しかも通りは目の前だった。（中略）さて、通りかかったチンドン屋さんは、呼ばれたから教室の下まで来る。するとトットちゃんは、うれしそうに、クラス中のみんなに呼びかけた。「来たわよ――」。勉強してたクラス中の子供《こども》は、全員、その声で窓のところに、つめかけて、口々に叫ぶ。

「チンドン屋さーん」。すると、トットちゃんは、チンドン屋さんに頼《たの》む。

「ねえ、ちょっとだけ、やってみて？」

黒柳徹子『窓ぎわのトットちゃん』②

先生の話を、まとめてみると、こういうことになるらしかった。

一時間目に、机のパタパタを、かなりやると、それ以後《いご》は、は、机を離《はな》れて、**窓のところに立って外を見ている**。そこで、で、静かにしていてくれるのなら、立っててもいい、と先生が生が思った矢先《やさき》に突然《とつぜん》、トットちゃんは、大きい声で、「チンドン屋さーん」と外にむかって叫んだ。だいたい、この教室の窓というのが、**トットちゃん**にとっては**幸福な**ことに、

□ 高く読む
〜 ゆっくり読む
‖ 強く読む
く ポーズ（間をおく）
□ 感情を込める
♪ 読点があるが、区切りをつけずに続けて読む

りえの朗読ポイント

「幸福↔不幸」と対比が伝わるように声色でしっかり違いを表現しましょう。

ことは、**先生**にとっては**不幸な**ことに、**一階**にあり、しかも

も**通り**は**目の前**だった。（中略）さて、通りかかったチンド

チンドン屋さんは、呼ばれたから教室の下まで来る。するとトッ

トットちゃんは、**うれしそうに**、**クラス中のみんなに**呼びかけた。

た。「来たわよ——」。勉強してたクラス中の子供《こども》は、全

全員、その声で窓のところに、つめかけて、口々に**叫ぶ**。

「チンドン屋さーん」。すると、トットちゃんは、チンドン屋さんに

屋さんは**頼**《たの》**む**。

「ねえ、**ちょっとだけ**、やってみて？」

りえの朗読ポイント

読点が多く、そのまま読むとブツ切りになるので、
つなげて読むように心がけてみてください。
「チンドン屋さーん」は、思いきって大声で。

向田邦子『父の詫び状』①

ある朝、起きたら、玄関がいやに寒い。母が玄関のガラス戸を開け放して、敷居に湯をかけている。見ると、酔いつぶれてあけ方帰っていった客が粗相した吐《と》瀉《しゃ》物が、敷居のところいっぱいに凍りついている。

玄関から吹き込む風は、固く凍《い》てついたおもての雪のせいか、こめかみが痛くなるほど冷たい。赤くふくれて、ひび割れた母の手を見ていたら、急に腹が立ってきた。

「あたしがするから」

■向田邦子（1929－1981）
東京生まれ。実践女子専門学校（現実践女子大学）卒。映画雑誌編集記者を経て、放送作家となる。「寺内貫太郎一家」「阿修羅のごとく」など数多くのテレビドラマの脚本を執筆する。小説集『思い出トランプ』収録の「花の名前」「かわうそ」「犬小屋」で第83回直木賞受賞。その後作家活動に入ったが、台湾旅行中の飛行機事故により急逝。

●『父の詫び状』
昭和の時代にはよくあった父親との会話、家族の日常。どこか懐かしい気持ちにもさせる。エッセイの最高傑作ともいわれている、1978年出版の随筆集。

★（あらすじ）仙台にいる両親のもとへ帰省した著者だったが、母親に苦労ばかりさせている父親の姿に腹が立つことばかり。東京に帰るときも仙台駅まで見汚い仕事だからお母さんがする、というのを突きとばすように押しのけ、敷居の細かいところにいっぱいにつまったものを爪楊子で掘り出し始めた。

保険会社の支店長というのは、その家族というのは、こんなことまでしなくては暮してゆけないのか。黙って耐えている母にも、させている父にも腹が立った。

送りに来た父はそっけない挨拶だった。しかし、東京に着くと父から手紙が届いていた。

〈①の解説〉

仙台の厳しい冬の朝。前の晩に父の仕事先の客が自宅に来て宴会をし、粗相をして帰って行った。母娘はその始末までしなくてはならなかった。

向田邦子『父の詫び状』①

ある朝、起きたら、玄関がいやに寒い。母が玄関のガラス戸を

(具体的な描写に入る【場面が切り変わる】)

戸を開け放して、敷居に湯をかけている。見ると、酔いつぶれて

つぶれてあけ方帰っていった客が粗相した吐瀉《としゃ》物が、敷居

(作者の心情の描写へと変わるので間をとる)

敷居のところいっぱいに凍りついている。

玄関から吹き込む風は、固く凍《い》てついたおもての雪のせいか、

いか、こめかみが痛くなるほど冷たい。赤くふくれて、む

ひび割れた母の手を見ていたら、急に腹が立ってきた。

「あたしがするから」

- □ 高く読む
- ～ ゆっくり読む
- ‖ 強く読む
- く ポーズ(間をおく)
- □ 感情を込める
- ⤸ 読点があるが、区切りをつけずに続けて読む

汚い仕事だからお母さんがする、というのを**突きとばすように**押しのけ、敷居の細かいところに**いっぱいに**つまったものを爪楊子で**掘り出し始めた**。

保険会社の支店長というのは、その家族というのは、**こんなことまでしなくては暮してゆけないのか**。黙って耐えている母にも、させている父にも腹が立った。

りえの朗読ポイント

現在はやさしいお父さんが多くなりましたが、
昭和初期の家庭は亭主関白が多かったのでしょうか。
著者の気持ちになって自分勝手な父に従う母へのやるせない気持ち、
込み上げる父への憤りを込めて読んでみるようにしてみてください。

向田邦子『父の詫び状』②

気がついたら、すぐうしろの上《あが》りかまち※のところに父が立っていた。

手洗いに起きたのだろう、寝巻に新聞を持ち、素足で立って私が手を動かすのを見ている。

「悪いな」とか「すまないね」とか、今度こそねぎらいの言葉があるだろう。私は期待したが、父は無言であった。黙って、素足のまま、私が終るまで吹きさらしの玄関に立っていた。

三、四日して、東京へ帰る日がきた。（中略）

〈②の解説〉

①のあと、私は起きてきた父からねぎらいの言葉を期待するが……。

※上りかまち

玄関で靴を脱いでまたぐ段差の上部に取りつけられた横木

いつも通り父は仙台駅まで私と弟を送ってきたが、汽車が出る時、ブスッとした顔で、

「じゃあ」

といっただけで、格別のお言葉はなかった。

ところが、東京へ帰ったら、祖母が「お父さんから手紙が来てるよ」というのである。巻紙に筆で、いつもより改まった文面で、しっかり勉強するようにと書いてあった。終りの方にこれだけは今でも覚えているのだが、「此の度は格別の御働き」という一行があり、そこだけ朱筆で傍線が引かれてあった。

それが父の詫び状であった。

向田邦子『父の詫び状』②

気がついたら、すぐうしろの上《あが》りかまちのところに父が
立っていた。
手洗いに起きたのだろう、寝巻に新聞を持ち、素足で
立って私が手を動かすのを見ている。
「悪いな」とか「すまないね」とか、今度こそねぎらいの
の言葉があるだろう。私は期待したが、父は無言であった。
た。黙って、素足のまま、私が終るまで吹きさらしの玄関に
は立っていた。
（場面転換のため3～4秒くらい間をとる）
三、四日して、東京へ帰る日がきた。（中略）

□ 高く読む
〜 ゆっくり読む
‖ 強く読む
く ポーズ（間をおく）
□ 感情を込める
⤸ 読点があるが、区切りをつけずに続けて読む

りえの朗読ポイント

作品のタイトルにもなった「父の詫び状」のシーン。
最後の7行は作品のクライマックスです。
気持ちを込めて読んでみましょう。

いつも通り父は仙台駅まで私と弟を送ってきたが、~~汽車~~
汽車が出る時、**ブスッ**とした顔で、
「じゃあ」
といっただけで、格別のお言葉はなかった。
ところが、東京へ帰ったら、祖母が「お父さんから~~手紙~~
手紙が来てるよ」というのである。巻紙に筆で、いつもより~~改~~
改まった文面で、しっかり勉強するようにと書いてあった。
終りの方にこれだけは**今でも**覚えているのだが、**「此の度は**
は格別の御働き」という一行があり、そこだけ**朱筆で傍線**
傍線が引かれてあった。
それが**父の詫び状であった**。

りえの朗読ポイント

作品が終わる、という締めの雰囲気を出すため、
「〜であった」までゆっくり読むようにしてみてくださいね。

第6章

日常会話にそのまま使える！

【朗読の実践編2】
ラジオのシナリオ
『賢者の名言』を読んでみよう！

★ 大好評を博したラジオ番組『賢者の名言』シナリオを読む

２０１７年から２０１９年まで、ジャパンエフエムネットワークのラジオ（ＴＯＫＹＯＦＭほか）で『賢者の名言』という番組のパーソナリティを務めさせていただきました。『賢者の名言』は古今東西の先人が残した名言を毎朝ひとつずつ紹介する番組で、「朝礼で話したくなる」「雑談のネタに使える」などと広い層の方に好評を博しました。

ここでは**私が実際に番組で使っていた原稿（私の書き込みバージョンも含む）を紹介します**。

第５章で紹介した名作・名文と比べて、より日常会話でそのまま使えるような表現や文章が多くなっており、内容も参考になるのでは、と思います。

一般の方はなかなかプロの読むラジオの原稿を見る機会がないと思いますが、聞き手を意識しながら読むことは、朗読のスキルアップにとても役立つと思います。

「名言」の部分は、ゆっくりと丁寧に強調して読んでください。

それでは、みなさんもプロになったつもりで、カッコよく読み上げてみてください！

★『賢者の名言』の朗読見本についても、私のＹｏｕＴｕｂｅチャンネル内で視聴できます。

ＹｏｕＴｕｂｅ
「魚住りえ 話し方＆聞く力のコミュニケーション講座」

賢者の名言①「ジョージ・ワシントンの言葉」

(この部分はすべてに共通です。②〜⑥では割愛します)

おはようございます。○○○○(自分の名前を入れて)です。

『賢者の名言』

毎朝ひとつずつ、古今東西の名言や偉人たちの言葉をお届けします。

今日の言葉はこちらです。

■ジョージ・ワシントン
(1732−1799)

初代アメリカ合衆国大統領。「合衆国建国の父」として首都や州名に名を残した。軍人、農園主、起業家でもあり、死去してから200年以上も経っても、米国の最も重要な指導者の一人として広く認識されている。生前は奴隷の所有者であったが、遺志として所有していた奴隷を解放した。

真の友情は
ゆっくり成長する植物である。

これは、初代アメリカ合衆国大統領ジョージ・ワシントンの言葉です。

軍人として、アメリカの独立戦争に貢献。

１７８９年に行われた、アメリカ初の大統領選挙で、初代大統領に就任しました。

アメリカの１ドル紙幣にも、肖像が描かれています。

そんなジョージ・ワシントンの言葉が今日の一言。

「真の友情はゆっくり成長する植物である。

友情と呼ぶに相応しいところまで成長するには、たび重なる危機にも耐え抜かなければならない。」

あなたの親友との関係を思い出してください。

頼りになる親友とも、ケンカをしたり、ちょっと疎遠になったりしたことがあるのではないでしょうか。

時間をかけてゆっくり育んだからこそ、強い絆が生まれます。

友情だけでなく、職場の人間関係や夫婦の絆も同じかもしれません。

朗読用原稿 13（りえのチェック済）

賢者の名言①「ジョージ・ワシントンの言葉」

おはようございます。〇〇〇〇（自分の名前を入れて）です。

『賢者の名言』

毎朝ひとつずつ、**古今東西の**名言や く **偉人たちの**言葉をお届けします。く

今日の言葉は**こちらです**。く（2秒ポーズとる）

- □ 高く読む
- 〰 ゆっくり読む
- ＝ 強く読む
- く ポーズ（間をおく）
- □ 感情を込める
- ♪ 読点があるが、区切りをつけずに続けて読む

真の友情は〈
ゆっくり成長する〈**植物**である。〈（2秒ポーズとる）

これは、**初代アメリカ合衆国大統領**〈**ジョージ・ワシントン**の言葉です。

軍人として、アメリカの独立戦争に貢献。

1789年に行われた、アメリカ**初の**大統領選挙で、初代大統領に就任しました。

アメリカの**1ドル紙幣**にも、肖像が描かれています。

そんなジョージ・ワシントンの言葉が今日の一言。〈（2秒ポーズとる）

「真の**友情はゆっくり**成長する**植物**である。

友情と呼ぶに相応しいところまで成長するには、たび重なる

なる危機にも**耐え抜かなければならない。**」く（2秒ポーズとる）

あなたの**親友**との関係を思い出してください。

頼りになる親友とも、**ケンカ**をしたり、**ちょっと疎遠に**なったりしたことがあるのではないでしょうか。

時間をかけてゆっくり育んだからこそ、**強い絆が**生まれます。

友情だけでなく、**職場の人間関係**や**夫婦の絆**も同じかもしれません。

りえの朗読ポイント

「ケンカ」「ちょっと疎遠に」はしっかり気持ちを込めるようにします。
「時間をかけてゆっくり」は文字どおりスピードを落としてゆっくりと、
「強い絆」も力強く読んでくださいね。

賢者の名言②「北大路魯山人の言葉」

うりのつるに　なすびはならぬ。

これは、北大路《きたおおじ》魯山人《ろさんじん》の言葉です。
魯山人は、書、篆刻《てんこく》、絵画など、幅広い分野で才能を発揮した人物。
食や器に対する深い造詣でも知られています。
今日は、そんな魯山人が遺した、こちらの言葉。
「個性のあるものには、楽しさや尊さや美しさがある。

■北大路魯山人（1883－1959）

京都府生まれ。芸術家。書・絵画・篆刻・陶芸など、多方面で才能を発揮し、数多くの名作を残している。また、美食家としても有名であり、自ら厨房に立つだけでなく、「魯山人窯芸研究所」を設立して、使用する食器は自ら創作するなどのこだわりも見せていた。

それでは、個性とはどんなものか。

うりのつるに　なすびはならぬ――、ということだ。」

それぞれが持って生まれた魅力を生かせば、人も食材も美しく花を咲かせることができる、と魯山人は語っています。

無理をして背伸びしたり、偽ったりしては、人の心を動かす仕事はできない、ということです。

あなたの魅力はなんですか。自分自身に問い直してください。

賢者の名言②「北大路魯山人の言葉」

うりのつるになすびはならぬ。

これは、北大路魯山人《きたおおじろさんじん》の言葉です。
魯山人は、書、篆刻《てんこく》、絵画など、幅広い分野で才能を発揮した人物。
食や器に対する深い造詣でも知られています。
今日は、そんな魯山人が遺した、こちらの言葉。(2秒ポーズ)
「個性のあるものには、楽しさや尊さや美しさがある。

□ 高く読む
〜 ゆっくり読む
‖ 強く読む
く ポーズ(間をおく)
□ 感情を込める
⤸ 読点があるが、区切りをつけずに続けて読むそれでは、個性とは**どんなものか**。
うりのつるに　なすびはならぬ——、〈ということだ。」〈（2秒ポーズ）
それぞれが**持って生まれた魅力**を生かせば、人も食材も〈
美しく花を咲かせることができる、〈と魯山人は語っています。
す。

無理をして**背伸びしたり**、**偽ったりしては**、**人の心を動かす**
かす仕事はできない、ということです。
あなたの魅力はなんですか。自分自身に問い直してください。
さい。

りえの朗読ポイント

名曲「世界に一つだけの花」が聴こえてきそうな内容ですね！
「美しく花を咲かせることができる」の一文はキーセンテンスなので、
とくにイメージを膨らませて読むようにしてみてください。

賢者の名言③「サミュエル・ジョンソンの言葉」

1日3時間歩けば、
7年後には地球を一周できる。

今日は、サミュエル・ジョンソンの言葉です。
サミュエル・ジョンソンは、18世紀に活躍したイギリスの文学者。
シェイクスピアの研究者としても知られる人物です。
サミュエル・ジョンソンが遺した言葉がこちら。

■サミュエル・ジョンソン
（1709－1784）

イギリスの文学者。シェイクスピアを研究し『シェイクスピア全集』の校訂を行う。また、『英語辞典』の編纂も手がけた。18世紀英国において「文壇の大御所」と呼ばれ、母国では「ジョンソン博士」の愛称でも知られる。本文で紹介している言葉以外でも、数多くの名言を残している。

「偉業を成し遂げさせるものは体力ではない。
耐久力である。
1日3時間歩けば、7年後には地球を一周できるほどである。」

あなたは、毎日続けていることはありますか。ウォーキング、読書、掃除……。私は○○です（ご自分の言葉で）。

1日3時間歩くのはちょっと大変ですが、要は、「継続は力なり」ということ。

1日の歩みはわずかでも、毎日続けていれば、その力は知らず知らずのうちに蓄えられ、いつか自分の武器になります。

賢者の名言③「サミュエル・ジョンソンの言葉」

1日**3時間歩けば**、**7年後**には**地球を一周できる**。

今日は、**サミュエル・ジョンソン**の言葉です。

サミュエル・ジョンソンは、**18世紀**に活躍した**イギリスの文学者**。

シェイクスピアの研究者としても知られる人物です。

サミュエル・ジョンソンが遺した言葉がこちら。

□ 高く読む
〜 ゆっくり読む
‖ 強く読む
く ポーズ（間をおく）
□ 感情を込める
♪ 読点があるが、区切りをつけずに続けて読む

「**偉業**を成し遂げさせるものは**体力ではない。**
耐久力である。
1日**3時間歩けば**、**7年後**には**地球を一周できるほどである。**」

あなたは、毎日続けていることはありますか。ウォーキング、ング、読書、掃除……。私は○○です（ご自分の言葉で）。

1日3時間歩くのはちょっと大変ですが、要は、**「継続は力なり」**ということ。

1日の歩みは**わずかでも**、**毎日**続けていれば、その力は知らず知らずのうちに蓄えられ、いつか**自分の武器**になります。ます。

りえの朗読ポイント

「3時間」と「7年後」、時間を表す数字が2つ出てきます。
それぞれ、自身の時間の感覚を聞き手に伝えるように読むようにします。
ちなみに私が毎日続けているのは、玄関の掃除です。

賢者の名言④「オノレ・ド・バルザックの言葉」

不幸を予期するから、悲惨な目にあう。

これは、バルザックの言葉です。
バルザックは、19世紀のフランスを代表する作家。社会を俯瞰する視点と、人間の心理に迫る作品は高く評価されています。
代表作は『ゴリオ爺さん』や『谷間《たにま》の百合《ゆり》』。

■オノレ・ド・バルザック
（1799−1850）

19世紀のフランスを代表する作家。小説の特性は、社会を俯瞰する視点と人間の深層心理を精密に描いていること。90篇からなる小説群『人間喜劇』では、社会に起こりうるあらゆる人物や場面を長編・短編交えた多彩な方法で描き、ドストエフスキーなどのロシア文学に影響を与えた。

波乱万丈の生涯を送り、51歳で亡くなっています。

そんなバルザックの言葉が、今日の一言。

「結局のところ、最悪の不幸は決して起こらない。たいていの場合、不幸を予期するから悲惨な目にあうのだ。」

「うまくいかないんじゃないかなー」「だめなんじゃないかなー」「きっとだめだなー」「絶対だめだなー」

「マイナス思考で失敗や不幸をイメージすると、そのとおりになってしまう」というのが、バルザックの教え。

自分のビジョンが、今日の自分をつくります。

賢者の名言④「オノレ・ド・バルザックの言葉」

> 不幸を予期するから、悲惨な目にあう。

これは、バルザックの言葉です。

バルザックは、19世紀のフランスを代表する作家。社会を俯瞰する視点と、人間の心理に迫る作品は高く評価されています。

代表作は『ゴリオ爺さん』や『谷間《たにま》の百合《ゆり》』。

- □ 高く読む
- 〜 ゆっくり読む
- ‖ 強く読む
- く ポーズ（間をおく）
- □ 感情を込める
- ♪ 読点があるが、区切りをつけずに続けて読む波乱万丈の生涯を送り、51歳で亡くなっています。

そんなバルザックの言葉が、今日の一言。

「結局のところ、**最悪の**不幸は**決して起こらない**。

たいていの場合、不幸を**予期するから悲惨な目に**あうのだ。」

だ。」

「うまくいかないんじゃないかなー」「だめなんじゃないかなー」

かなー」「きっとだめだなー」「絶対だめだなー」

「**マイナス思考**で失敗や不幸をイメージすると、**そのとおりに**

おりになってしまう」というのが、バルザックの教え。

自分のビジョンが、**今日**の自分をつくります。

りえの朗読ポイント

「悲惨な目」、誰でも一度はあったことがあると思います。
そのときの気持ちを込めて発音してみましょう。
最後の一文「自分のビジョンが、今日の自分をつくります」は、
力強く読むといいですよ！

賢者の名言⑤「エルバート・ハバードの言葉」

**1日に1つは
自分にできないことをやる。**

これは、19世紀から20世紀にかけて文筆活動を行ったアメリカの作家、エルバート・ハバードの言葉です。

代表作は『ガルシアへの手紙』。

実在のアメリカ人将校をモチーフに、ハバードが、自主性と行動力について記述しています。

■エルバート・ハバード（1856－1915）

アメリカの思想家、作家、教育者、講演家。出版社「ロイクロフターズ」の創設者であり、高踏的な芸術雑誌を発行する一方でエッセイなども手がけた。主な作品に米西戦争を題材にした『ガルシアへの手紙』があり、刊行から１００年以上たったいまもなお、ベストセラーとして読み継がれている。

その中から、今日はこちらの言葉。

「1日に少なくとも1つは自分の力にあまることを成し遂げようとしない限り、どんな人間でもたいした成功は期待できない。」

できること、得意なことをやるのは、楽しいもの。

時間が経つのも忘れてしまいます。

反対に、難しいこと、苦手なこと、不得意なことに手をつけるのは、誰しも避けてしまいがち。

でも、「壁を乗り越えること」こそが「成長」。

あなたは今日、どの壁にチャレンジしますか。

賢者の名言⑤「エルバート・ハバードの言葉」

1日に**1つ**は
自分に**できないことをやる**。

これは、**19世紀**から**20世紀**にかけて文筆活動を行った**アメリカ**の作家、**エルバート・ハバード**の言葉です。

代表作は**『ガルシアへの手紙』**。

実在のアメリカ人将校をモチーフに、ハバードが、**自主性**と**行動力**について記述しています。

□ 高く読む
～ ゆっくり読む
‖ 強く読む
く ポーズ（間をおく）
□ 感情を込める
⤵ 読点があるが、区切りをつけずに続けて読む

その中から、今日はこちらの言葉。

「1日に少なくとも1つは自分の力にあまることを成し

成し遂げようとしない限り、どんな人間でもたいした成功は期

期待できない。」

できること、得意なことをやるのは、楽しいもの。

時間が経つのも忘れてしまいます。

反対に、難しいこと、苦手なこと、不得意なことに手を

つけるのは、誰しも避けてしまいがち。

でも、「壁を乗り越えること」こそが「成長」。

あなたは今日、どの壁にチャレンジしますか。

りえの朗読ポイント

「できること、得意なこと」と「難しいこと、苦手なこと、不得意なこと」。
これは対比です。しっかり明暗をつけて読むようにします。
「あなたは今日、どの壁にチャレンジしますか」は、
聞き手に問いかけるような気持ちで読んでみてくださいね。

賢者の名言⑥「ギルバート・キース・チェスタトンの言葉」

> 解決策がわからないのではない。
> 問題がわかっていないのだ。

これは、イギリスの作家、ギルバート・キース・チェスタトンの言葉です。

20世紀前半、数々の推理小説を発表したチェスタトン。

彼の代表作「ブラウン神父シリーズ」は、いまも世界中の読者を魅了しています。

■ギルバート・キース・チェスタトン（1874-1936）

イギリスの作家、批評家、詩人、随筆家。学生時代、画家を目指していたが挫折し、文学の道へ。数々の作品を出した後、推理作家として有名になる。「ブラウン神父」シリーズは、探偵小説の古典とされている。江戸川乱歩はチェスタトンを評して「トリック創案率は探偵小説随一」と賞賛している。

そんなチェスタトンが、小説の中で綴った言葉が、今日の一言。

「解決策がわからないのではない。
問題がわかっていないのだ。」

長引くミーティング。煮詰まる会議。議論が行ったり来たりを繰り返し、時間だけが過ぎていく……ビジネスマンなら一度は経験したことがあるのではないでしょうか。

そんなときは、「問題の本質」を問い直す必要があるのかもしれません。

本当に大切なことは何なのか。

初心に立ち返ると、見えてくるものがあります。

賢者の名言⑥「ギルバート・キース・チェスタトンの言葉」

解決策がわからないのではない。
問題がわかっていないのだ。

これは、イギリスの作家、ギルバート・キース・チェスタトンの言葉です。

20世紀前半、数々の推理小説を発表したチェスタトン。

彼の代表作「ブラウン神父シリーズ」は、いまも世界中の読者を魅了しています。

□ 高く読む
〜 ゆっくり読む
‖ 強く読む
く ポーズ（間をおく）
□ 感情を込める
♪ 読点があるが、区切りをつけずに続けて読む

そんなチェスタトンが、小説の中で綴った言葉が、今日の
め一言。

「解決策がわからないのではない。

問題がわかっていないのだ。」

長引くミーティング。**煮詰まる会議**。議論が行ったり来
来たりを繰り返し、**時間だけが過ぎていく……**ビジネスマン
なら一度は経験したことがあるのではないでしょうか。
そんなときは、**「問題の本質」**を**問い直す**必要があるのかも
かもしれません。
本当に大切なことは何なのか。
初心に立ち返ると、見えてくるものがあります。

りえの朗読ポイント

「長引くミーティング」「煮詰まる会議」「時間だけが過ぎていく……」

経験のある人も多いのではないでしょうか。

そのいら立った気持ちが伝わるように表現してみてくださいね。

特別付録

賢い子に育つ！親の話し方と声も良くなる！
一石二鳥「子どもへの読み聞かせ」はこうしよう！

★子どもへの読み聞かせにも「魚住式メソッド」を活用！

頭のいい子に育つ、情操教育にいい、親子のコミュニケーションになるなど、**読み聞かせの効用**はみなさんご存じのことと思います。

この読み聞かせにも、ぜひ「魚住式朗読メソッド」を取り入れてみてください。

魚住式メソッドなら、子どもだけでなく、親のほうにもたくさんメリットがあります。

子どもに読み聞かせをすることによって、親の話し方や声まで良くなり、表現力も向上するのです。まさに「一石二鳥」です。

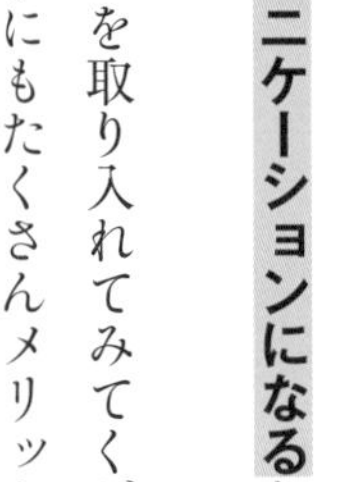

難しいことは何もありません。

はじめての本を読むときには、本文で述べた方法で事前に準備をして書き込みをし、一度でいいので練習をしてから読み聞かせを行います。

いきなりパッと開いて読むのと、「魚住式メソッド」を使うのでは「伝わる力」が全然違うのがおわかりいただけると思います。

★ 抑揚をつける？ つけない？

子どもへの読み聞かせについては、魚住式メソッドと違い、「あまり抑揚をつけず、淡々と読んだほうが子どもの想像力をかき立てる」という意見もあるようです。

私は専門家ではないので、このあたりは正直なところ、よくわかりません。

ですので、これは私の意見になってしまいますが、**子どもの反応を見て決めるのがいい**のではないかと思います。

単調に読んだほうが、子どもが集中するならそれがいいし、感情豊かに読んだほうが喜んで聞くというのであれば、それが正解なのではないかと思います。

とはいえ、私がまわりの人の話に聞いた範囲では、**感情を入れて読むほうが喜ぶお子さんが多い**ようでした。

★ 子どもの音読にも使える！

お子さんが小学校に入ると、音読の宿題が出るようになると思います。

このとき、**お子さんがひとりで読むのではなく、ぜひ保護者の方が「聞き役」**になってあげてほしいのです。

また、可能な範囲で結構ですので、本書で解説した「魚住式メソッド」を活用してみてください。

それによって、たとえ小学生であっても、**「音読」が「朗読」に進化し、みるみる読み方が上達し、驚くほど「伝わる」読み方ができる**はずです！

もちろん、朗読を続けることによって、49ページで述べているメリットが、いかんなく発揮されることはいうまでもありません。子どもの場合はとくに、**語彙力や集中力がアップし、国語力もメキメキ上がる**と思います。

★ 読み聞かせでグッタリ……そんなときは？

「読み聞かせをするのはいいけれど、何冊も読むと口が疲れてしまって続かない」

「意外に体力を消耗してグッタリしてしまう」

読み聞かせをしているみなさんから、このような声をよく聞きます。

私たちのように毎日話す訓練をしているプロでなければ、**何冊もいっきに読めば口が疲れてくるのは当然**です。

読み聞かせに限らず、口が疲れてしまうと発音が不明瞭になり、なおかつ一本調子になりがちです。こうなると、聞くほうも飽きてしまいます。

もしかしたら**読み聞かせをする人の疲れるタイミングは、子どもも飽きてくるタイミングと同じ**なのかもしれません。

その場合は、**無理をせずに少し休んでから再開したほうがいい**と私は思います。

子どもからの「もっと読んで！」攻撃があるかもしれませんが、インターバルをおいたほうが、作品をより魅力的に伝えることができますし、結果的に子どもも楽しんでくれるのではないでしょうか。

以下、子どもへの読み聞かせについて、私からのアドバイスを5つのコツにまとめました。

子どもへの読み聞かせ5つのコツ

（コツ1）▼早口にならないよう、ゆっくり読む

子どもへの読み聞かせは、**とくに早口にならないよう、ゆっくり読む**ことを心がけましょう。

123ページで述べたウラワザ「一音一音をはっきり丁寧に発音する」を使ってみてください。

コツ2 ▼子どもに目を配りながら読む

読むことに集中すると、文字だけを追ってしまって、子どもに目がいかない……ということになりがちです。

読み聞かせは**「子どもに語りかけるように読む」**ことが大切だと思います。

子どもの反応を見たり、時にアイコンタクトをとるなどして、コミュニケーションをとりながら読むようにしてみてください。

コツ3 ▼セリフは臨場感たっぷりに読む

子ども向けの本は、セリフが多く使われています。

大人の朗読の場合、セリフに感情を込めすぎると「お芝居」になってしまうので、「文章」と「セリフ」に落差をつけすぎない読み方がおすすめです。

でも、子どもへの読み聞かせの場合は朗読とは違い、聞き手が幼児のことも多いので、やはり**臨場感たっぷりにセリフを言うのがベスト**だと思います。

コツ4 ▶擬音ははっきり大きめに発音

子ども向けの本は擬音も多いですね。擬音だけで構成された絵本も大人気だそうです。**擬音は耳で聞いて、子どもがハッと興味をもつポイント**です。はっきり大きく発音してあげると、子どもは音を楽しんでくれるし、感受性も高まる気がします。

セリフも擬音も、読み手であるお母さんやお父さんが気持ちを入れて、**思いっきり大人自身が楽しみながら読むのがいい**と思います。

コツ5 ▼「正解」はない！

このパートを書くにあたって、読み聞かせの本を読んだり、ネット検索をしたりなど、さまざまな方法を探してみましたが、読み聞かせにはいろいろな方法や意見があるようですね。

「抑揚はつけない」「抑揚はつけたほうがいい」「読んだ本の感想を述べてはいけない」「いや感想は述べてもいい」……など、それぞれに論文もあるらしく、混乱してしまいそうです。

でもたぶん、朗読と同じく子どもへの読み聞かせにも、**「正解」というのはなくて、子どもが本の世界に興味をもち、喜んで聞いてくれることが重要**なのだと思います。

「これでないといけない」ということに縛られず、**親子のコミュニケーションの場として、読み手も楽しみながら「続けること」がいちばん大切**なことではないでしょうか。

りえの読み聞かせおすすめの本

★ 幼児向け（絵本）

『くだもの』（福音館書店）
『ねずみくんのチョッキ』（ポプラ社）
『しろくまちゃんのほっとけーき』（こぐま社）
『からすのパンやさん』（偕成社）
『だるまちゃんとてんぐちゃん』（福音館書店）
『はらぺこあおむし』（偕成社）
『えがないえほん』（早川書房）
『もこ もこもこ』（文研出版）
『100かいだてのいえ』（偕成社）

『14ひきのあさごはん』（童心社）
『うんこ！』（文溪堂）

★小学校低学年～向け

『おしりたんてい』シリーズ（ポプラ社）
『かいけつゾロリ』シリーズ（ポプラ社）
『ルルとララ』シリーズ（岩崎書店）
『エルマーのぼうけん』（福音館書店）
『いやいやえん』（福音館書店）
『ふたりはともだち』（文化出版局）
『グレッグのダメ日記』シリーズ（ポプラ社）

参考書籍『読み聞かせは魔法！』（吉田新一郎、明治図書出版）

おわりに

最後までお読みいただき、ありがとうございます。

今回、本書に掲載する朗読文を選ぶために、ビジネス書から小説、エッセイなど、さまざまなジャンルの本を朗読しました。

そこで気づいたことがあります。

それは、**「声に出し、音にしてはじめてわかることがある」**ということです。

たとえば本書に載せている芥川龍之介や三島由紀夫の文章は、もちろん私などが称賛するまでもない名作ですが、朗読して「音」にしてみることで、あらためて驚きました。

名文は、音に出しても極上の響きをもつ名文なのです。

すばらしいことが書いてあっても読みづらい文というのがあるのですが、大作家の文章は朗読しても、とても読みやすいのです。リズムがあるし、音の響きがまた美しい。そして音になることで、その内容がしみいってくるというか、黙読するよりもさらに深い味わいをもって心に留まるのです。さらにはその世界に入り込め、一体感を味わうことができるような気がします。

声に出して読むことではじめて、その文章の真価がわかるのですね。

これは本当に朗読ならではの発見だと思います。**新しい小説の味わい方としても、朗読はとてもおすすめ**です。

大作家の話のあとで大変恐縮ですが、私は自分の著作でも同じような経験をしました。

このたび、私の著書『たった1日で声まで良くなる話し方の教科書』と『たった1分で会話が弾み、印象まで良くなる聞く力の教科書』（共に東洋経済新報社刊）が、アマゾンの「Audible（オーディブル）」でオーディオブックとして発売されることになりました。

オーディオブックは「耳で聞く本」で、海外では電子書籍と同様に、すでに高い人気があります。

日本でも近年人気が出てきていて、多くの本がオーディオブック化されています。しかし、「著者本人」が吹き込んだものは、日本のアマゾンでは、はじめてだそうです。

本書の制作と同時進行で、私は連日スタジオにこもって、自分の著書を読み上げました。1日ぶっ通しで4～5時間を1週間、さすがに疲れました。

でも読み終わった素直な感想は「2冊ともとてもよくできている！」ということ。

私のつたない原稿を補ってあまりある編集の力によって、2冊ともとてもいいものに仕上がっているのです。さすがは業界に名のとどろく名編集長・中里有吾さんのおかげです。

おかげさまで2冊ともベストセラー、ロングセラーとなっていますが、**音にしてみてあらためて「本の力」に驚きました**。

そこで思ったのは、**「朗読」はテクニックとして仕事などにも「使える」**ということです。

つまりレポートや感想文、手紙、メールなどなど、**「人に読んでもらう文章」を書くとき、最後に自分で朗読してみる**のです。

すると黙読ではわからなかったその文章の弱点や不足、あるいは長所が見えてきます。
これはものすごく重要なことです。

とくに、**「人の心を動かす文章」を書きたいならば、朗読は必須だ**と思いました。

朗読は、ほんのちょっと練習するだけで、メキメキ上達します。

そうして芥川龍之介のような「名文」を読んでみると、自分でもビックリするほどすばらしい名調子で読むことができるものです。

すると「自分にはこんな可能性があるんだ！」「こんなことができるんだ！」と自分に自信がわいてくるはずです。

朗読は、自己肯定感も高めてくれるのだと私は確信しています。

本書の最初の章で私は、朗読のすばらしさを書きはじめたら止まらなくなってしまったのですが、最後の最後でまた朗読の新たな、すばらしい一面に気づくことになりました。

ぜひみなさんも、この深遠で魅力あふれる「朗読の世界」を引き続き味わってみてください。

私も仕事としてだけでなく、自分のライフワークとしても、朗読を続けていきたいと思っています。

「1日1分朗読」、それはあなたの人生を限りなく豊かにしてくれるはずです。

2020年2月

魚住りえ

第3章と第5章で掲載した朗読用原稿の出典元

PHP総合研究所編『松下幸之助「一日一話」』PHP文庫

寺田寅彦『柿の種』岩波文庫

三島由紀夫『葉隠入門』新潮文庫

芥川龍之介『蜘蛛の糸』文春文庫

島崎藤村『千曲川のスケッチ』岩波文庫

黒柳徹子『窓ぎわのトットちゃん　新組版』講談社文庫

向田邦子『父の詫び状』文春文庫

※朗読しやすくするため、原文の一部を現代かなづかいに変更、改行を入れるなどしています。

【著者紹介】

魚住りえ（うおずみ　りえ）

フリーアナウンサー。ボイス・スピーチデザイナー。

大阪府生まれ、広島県育ち。高校時代、放送部に所属。在校中、NHK杯全国高校放送コンテスト朗読部門で、約5000人の中から第3位に入賞。

1995年、慶應義塾大学文学部仏文学専攻を卒業し、日本テレビにアナウンサーとして入社。報道、バラエティー、情報番組などジャンルを問わず幅広く活躍。代表作に『所さんの目がテン!』『ジパングあさ6』（司会）、『京都心の都へ』（ナレーション）などがある。

2004年に独立し、フリーアナウンサーとして芸能活動をスタート。とくに各界で成功を収めた人物を追うドキュメンタリー番組『ソロモン流』（テレビ東京系列）では放送開始から10年間ナレーターをつとめ、およそ500本の作品に携わった。各局のテレビ番組、ラジオ番組、CMのナレーション等も数多く担当し、その温かく、心に響く語り口には多くのファンがおり、「朗読の名手」と呼ばれることも多い。

また、およそ30年にわたるアナウンスメント技術を活かした「魚住式スピーチメソッド」を確立し、現在はボイスデザイナー・スピーチデザイナーとしても活躍中。

声の質を改善し、上がり症を軽減し、相手の心に響く「音声表現」を教える独自のレッスン法が口コミで広がり、「説得力のある話し方が身につく」と営業マン、弁護士、医師、会社経営者など、男女問わず、さまざまな職種の生徒が通う人気レッスンとなる。現在は、定期的に募集を行い、スクールでレッスンを行っている。

著書『たった1日で声まで良くなる話し方の教科書』『たった1分で会話が弾み、印象まで良くなる聞く力の教科書』（共に東洋経済新報社）は累計20万部を超えるベストセラーになっている。

また、YouTube「魚住りえ 話し方&聞く力のコミュニケーション講座」を開設。視聴者のコミュニケーションにまつわるさまざまな悩みを解決し、好評を博している。


話し方が上手くなる！ 声まで良くなる！ 1日1分朗読

2020年3月26日　第1刷発行
2023年8月31日　第6刷発行

著　者──魚住りえ
発行者──田北浩章
発行所──東洋経済新報社
〒103-8345　東京都中央区日本橋本石町 1-2-1
電話＝東洋経済コールセンター　03(6386)1040
https://toyokeizai.net/

ブックデザイン……上田宏志〔ゼブラ〕
イラスト…………岸潤一
ＤＴＰ…………アイランドコレクション
カバー写真……田川智彦
ヘアメイク………畑野和代
編集協力………高橋扶美／田中順子
編集アシスト……濱田千鶴子
校　正…………佐藤真由美／加藤義廣
印　刷…………ベクトル印刷
製　本…………ナショナル製本
プロモーション……笠間勝久
編集担当………中里有吾
　Printed in Japan　ISBN 978-4-492-04662-3